# KALEIDOSCOPE

# principaux titres du même auteur

## poésie

*chez le même éditeur*

FM (1975)
anecdotes (1977)
oracle des ombres (1979)
visages (1981)
images du temps (1983)

*chez d'autres éditeurs*

pour chanter dans les chaînes (La Québécoise, 1964)
érosions (Estérel, 1967)
charmes de la fureur (Jour, 1970)
paysage (Jour, 1971)
pulsions (L'Hexagone, 1973)
variables (PUM, 1973)
l'octobre suivi de dérives (L'Hexagone, 1977)
le cercle de justice (L'Hexagone, 1977)
desseins, poèmes 1961-1966 (L'Hexagone, 1980)

## romans

je tourne en rond mais c'est autour de toi (Jour, 1969;
    Quinze, 1980)
la représentation (Jour, 1972; Quinze, 1980)
sylvie stone (Jour, 1974; Quinze, 1980)

## monographie

p.v. beaulieu (Marcel Broquet, 1981)

# MICHEL BEAULIEU

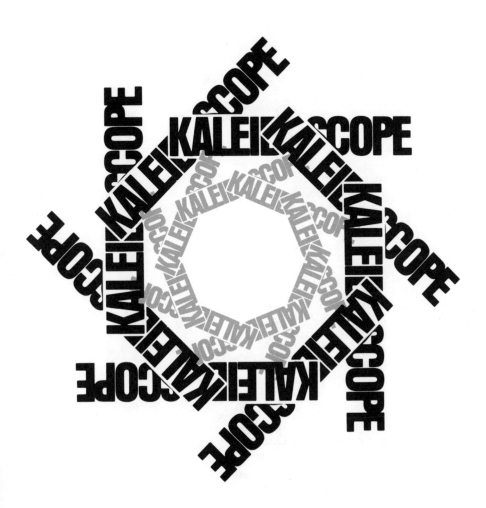

## OU
## LES ALEAS DU CORPS GRAVE

Dépôt légal, 4e trimestre 1984
Bibliothèque nationale du Québec
ISBN 2-89018-097-2

Les Éditions du Noroît
Case postale 244
Saint-Lambert (Québec)
J4P 3N8

Imprimé au Canada

*à Josée Michaud*
*pour tout*

*à Jacques Thériault*
*pour rien*

## as-tu revu le chat

si sûr quand guette le temps
de griller une cigarette contre le vent
les cheveux à peine protégés
tu n'arrivais plus à parler l'autre soir
trop d'oreilles se pressaient aux siennes
avec cette avidité qui chatouille
quelque part quelque nœud profond
mais il fallait bien qu'au moins tu lui demandes
as-tu revu le chat

## j.c. croisée

ici nul n'a plus de visage nul n'a de nom
que pour une dizaine d'âmes disséminées
parmi les feux d'artifice de la ville
où les défroqués se cacheraient en vain
s'ils se cachaient derrière leurs morts

tu dis j'exulte et tu te fonds aux pierres
tu ne risques guère de te retrouver face
à quelqu'un dont tu ne supporterais pas
l'inaltérable écho des lectures d'antan
saupoudrées par les idéologies à la mode

tu remontes la Seine par le boulevard
Saint-Germain tu approches de l'église
que le flux du trafic isole encore
tu laisses s'effacer en toi les stigmates
si aisément repérables du touriste
en te rappelant le comte de ce nom

hier soir au café tu écoutais rivé
au titre qui annonçait la centième
relance économique depuis deux ans
cet accent dont usait ton grand-père
en t'entretenant de la rhétorique
et sachant que tu y parviendrais

bientôt dans quelques années puis dans une
mais il ne s'exclamerait pas cette fois
tu t'étonnerais même de ne pas pleurer
cet après-midi-là tu crois l'entendre à la table
voisine avec son accent d'il y a deux

cents ans tu remontes le courant
de la foule dépourvu de cette démarche
des autochtones qui semblent si bien
au fait de la trajectoire la plus brève
jusqu'à leur provisoire destination

tu ne parles à personne et l'on ne te voit
pas tu ralentirais l'afflux des piétons
à d'autres heures de la journée tu louvoies
piégé par l'architecture et les monticules
de merde qui s'affaissent dans leur jus

réfractaire aux montres depuis tant d'années
tu te fies au mouvement relatif du soleil
sur la ville où tu habites depuis toujours
six pièces tu l'évites en te déplaçant
de l'une à l'autre de tes trois tables

de travail où tu passes le plus clair
de ton temps quand tu passes ton temps
à disparaître entre tes propres murs
on te demande du feu tu allumes
pour toi-même une hollandaise
dont on ne comprenait pas la marque d'abord

prononcée comme tu le fais à l'américaine
tu n'as pas fumé de la journée tu éternues
tu examines les alentours elle s'en vient
planant sur les lignes du trottoir examinant
l'une après l'autre les pierres des bâtiments
les vitrines la statue de Diderot les chiures

de pigeon qui lui coulent sur les vêtements
les yeux plus bleu que l'absence de couleur
ne permettait de le percevoir en noir
et blanc quelque soir à la télévision
dans ce film d'il y a bien quinze ans

dans ses frusques beige tu entends
ton grand-père deviser de la rhétorique
une autre année fixant le dollar
tu obliques vers la chaussée qu'elle aperçoive
à travers les passants celui qui te suit

## l'inconnue du voyage

le cardinal aperçu dès les premiers pas
dans la carlingue enfoncé sous son béret
la circulation presse vers la queue le passager
son bagage à main s'accroche aux sièges
il n'aurait qu'à le porter devant lui
pour protéger les objets fragiles qu'il renferme
tu marches derrière lui prêt à stopper net
ta mallette sinon s'enfoncerait dans le pli
de sa jambe il poursuit lorsque tu atteins
pourtant la rangée où l'on t'a assigné
à ta demande une place près d'un hublot
tout à l'avant du compartiment des fumeurs
tu te dis lui au moins n'attend que de retrouver
son père tu te souviens de sa pourpre
à la télévision du débit affecté de ses phrases
de la façon qu'il avait de replacer sans arrêt
sa calotte de la mobilité de son visage
tu crois un instant que tu devrais sans doute
descendre mais sans doute aussi l'avion
lèvera-t-il malgré sa présence à l'avant
ne racontait-on pas jadis qu'il devait être
à bord de celui qui ramenait les pèlerins
de Rome touchons du bois croisons les doigts
caressons la patte de lapin teinte en jaune
malgré ce que te racontait de retour
du Brésil ce confrère de collège à propos
de quelques superstitions notamment de celle
qui interdit à certains croyants de monter
à bord d'un avion s'il s'y trouve un prêtre
parmi les passagers poussant jusqu'à exiger
qu'on leur garantisse par écrit cette entorse
à la libre circulation des gens des idées
qu'il représente Dieu ne permettant pas

sans doute une manifestation de sa mansuétude
que l'on puisse mourir sans absolution
même s'il s'agit de celle d'un prince

cet avion ne décollera jamais faisais-tu
souvent semblant de croire pour ajouter
du piquant à ce spectacle d'une demi-minute voilà
bien dix ou douze ans lorsqu'on n'avait pas rentré
le train d'atterrissage parmi les explosions
de bouchons de champagne les canapés de caviar
noir à grands renforts de discours complaisants
et de claques dans le dos le soir au milieu
des habituelles nouvelles heureusement raccourcies
pourtant tu le savais déjà depuis la fin
de l'après-midi puisqu'on l'avait annoncée
au bulletin de six heures cette inaugurale envolée
du prototype alors d'une nouvelle génération
d'appareils dont les premiers seraient lancés
à leur tour sur les marchés quelques mois
plus tard tu ne te rappelles plus exactement quand
tu penseras peut-être à vérifier la date
en rentrant de ce séjour tu attends que le 747
roule vers l'extrémité de la piste en regardant
les passagers qui n'en finissent plus de s'installer
tu écoutes distraitement les recommandations d'usage
en remarquant que la plupart d'entre eux comme
toujours font semblant de lire ou de dormir
en tentant de s'arracher au dernier point
d'interrogation cette angoisse qui reflue
vers les membres comme s'ils ne savaient pas
que leurs chances de s'écraser à l'autre extrémité
de la piste sont pour ainsi dire nulles
et non avenues le paysage défile de plus
en plus brumeux tu regardes l'interdiction
de fumer qui tarde tant à s'éteindre la lenteur
semble-t-il de la montée nul ne parle
encore les enfants crieront dans quelques instants

welcome aboard Air Canada flight 871 this
is your captain speaking le reste se perd
dans le bruit que font les corps en s'étirant

une heure après le décollage ou deux déjà
tu t'impatientes devant toi ne parle-t-elle
pas de son voyage de l'année passée en Inde
ne décrit-elle pas pour sa compagne les bûchers
de Bénarès les eaux du Gange qu'elle sentait
poisseuses de cendres avant d'y mettre le pied
du cadavre où les mouches pondaient
entre les paupières leurs larves tu sens
les caractères de ton livre s'embrouiller
tandis que ton voisin de gauche tente d'engager
la conversation tu te demandes si tu devrais
répondre que tu n'y tiens pas tu le fais
en tournant la page l'œil rivé
à la première ligne elle brûlait des bâtonnets
d'encens le soir au cours de sa méditation
sans doute n'offrait-elle pas de sacrifices
à la divinité ne tuait-elle pas même un brin d'herbe
on exige que tu abaisses le rideau tu poursuis
dans la pénombre ta quête de mots mais elle se tait
tu sais déjà que sous les écouteurs elle deviendra
sourde à ce battement qui te fait être
en ce moment venu de passer à autre chose
à Snoopy combattant jadis le Baron rouge
en se fiant à son imagination l'hôtesse
annonce le titre du film qui t'agacera
l'œil et les images que tu en capteras
ne te révéleront que le fil conducteur
ses parents l'attendront-ils à l'arrivée
soulagés du coup de leurs mois d'inquiétudes
passés à fouiller le cœur battant la chamade
les entrefilets dès qu'une lettre n'arrivait
pas le jour convenu tu ne rentreras
que bien après lui avoir tendu

le feu qu'elle te demande tu reviens
à la première ligne à la ligne lue relue
sans en reconnaître les mots

## entre autres villes

celle où tu reviens au bout
du compte des voyages le flanc
de la montagne taillé d'un coup
d'aile tu n'arrives pas
de très loin retraçant les marches
tes dix-sept ans des nuits d'autrefois
le vague à l'âme à force de trop lire
les poètes dont tu ne redécouvrirais
qu'à quarante ans la teneur disait-on
les bâtiments dont seule subsiste la photographie
la pierre au fond du fleuve interdiction
de s'y baigner jadis les plages
les plages de l'ouest et du nord de l'île
ce fleuve dévoré
dont jamais tu ne sens la présence
bien que tu en connaisses les remous
tu le regardes rongé de lumière tu sens
à peine le train sur la piste

**say it in french**


*pour Daphne Marlatt*

la phrase prend des détours
elle évite l'affrontement
remet à plus tard se perd
dans les inextricables parenthèses
les renvois


*good god*

la langue ne sent pas
le passage des mots
tu ralentis tu parles
d'un ton presque neutre
tu en prends ton parti


*say it in french*


*chour*

n'importe quand viens-y voir
dis-tu les yeux dans les siens
chacun cherchant le mot que tu désires
au lieu des points de suspension

## entre autres villes 2

celle où tu arrives quelques jours
avant tes treize ans dans un orage
de néon descendu du DC-6 ta sœur
verdâtre tes parents regrettent déjà
la fin de semaine qui les oblige
à faire chambre à part à ne pas s'attarder
dans les restaurants et les musées entrecoupés
par un séjour au sommet d'un gratte-ciel
en empruntant deux ascenseurs
dont le premier ne se rend qu'au 86e
une photographie t'y montre échappant
à l'enfance avec cet air en noir
et blanc de constipation de nonchalance
entremêlées

tu la contournes en remontant
vers la frontière les montagnes
disparues dans la pénombre l'odeur
de l'herbe rasée lors des arrêts
dans les aires de repos tu t'étires
sans mettre le pied dehors
à moins que plusieurs voitures
ne stationnent aux alentours
tu ne vides pas le cendrier tu te masses
la nuque avec les pouces tu n'écoutes
pas la radio

tu circules dans les épines
panoramiques jusqu'à ton père
penché sur les jumelles tu suis
l'oiseau plonges derrière un remorqueur
t'échappes vers la crête

des bâtiments tu te souviens de la photo
tous deux appuyés contre la rampe
elle retient son chapeau
la robe colle au côté de sa cuisse
il grimace il s'y plie de plus
ou moins mauvaise grâce et tu n'existes pas
encore tu ne les imagines guère nus
dans une chambre d'hôtel tu croiras
à l'opération du Saint-Esprit
au Père Noël au Bonhomme Sept Heures
au Marchand de Sable qui guette
dans l'ombre de l'autre côté du mur
des lions dormiront sous ton lit
mais tu cesseras bientôt d'y croire
elle sourit pour la caméra tu la retrouves
d'un coup d'œil à quarante ans
de distance alors que tu n'existais pas

Nicole a le mal de l'air touche
à peine à son eau vomit la première
journée le cinéma l'interdit les montagnes
russes dévalées dans la sixième rangée
devant l'écran circulaire la randonnée
monomotorisée dans les Rocheuses
on dirait tu te retiens au mur
extérieur en quittant la salle à la toute
fin de la représentation l'estomac creux

tu t'éveilles dans la chambre où la gale
tombe du mur à l'aube un aiguillon
perce ta jambe tu comptes les mégots tu examines
de nouveau les pages du magazine de la veille
en étalant ton mouchoir tu fermes les yeux
tu penses à celle à qui tu ne toucheras jamais
sans doute à l'inconfort du déplacement
au frottement du pantalon aux frôlements

des deux hommes sous la marquise d'une heure
aux cheveux blonds du noir à tes dix-huit ans
qui s'en viennent tu ne crains pas d'errer
la nuit parmi le grouillement sporadique
les apparitions le décor t'enveloppe inchangé
dans ta mémoire malgré les pans qui caracolent
en remontant le corridor puis rien puis les pas
de nouveau tu feins de dormir on s'éloigne
on épie les draps quand tu t'appuies
contre l'oreiller tu n'envoies pas de cartes
postales tu n'en rapportes pas tu n'as rien
vu tu ne veux plus jamais te soumettre
aux interrogatoires

depuis le gymnase où les lits de camp demeurent
cachés sous les sacs de couchage la journée
libre au cours du voyage trois quarts
d'heure une heure par le subway
aérien le parc d'amusement la plage
la mer où plus haut sur la côte quatre
jours plus tard tu rejoindras la famille
sans te soucier de la dernière étape
la mer la longue promenade en bois
derrière un tapis de corps les montagnes
russes les balles qui n'atteignent jamais
la tête des poupées ne pénètrent jamais
dans les bidons de lait vides tu n'oses
rien manger de crainte des représailles
lorsque tu dévaleras du sommet de la structure
en espérant que l'engin ne s'envole pas
dès la première courbe toi qui passerais
bien cette fois ton tour quitte à paraître
lâche aux yeux de tes compagnons

de retour des Caraïbes en passant
par Miami le Super-Constellation

se pose sans histoire à cinq heures
et demie du matin les ailes battues
la nuit durant par un torrent
de pluie des poches d'air si vastes
qu'à peine assoupi tu murmurais
à ton voisin de droite en le regardant
vomir au moins tâche de viser
dans le sac avant d'appeler
l'hôtesse et de lui demander du café
les bagages à la consigne de la gare
tu te précipites vers le quai l'express
arrive tu montes parmi la foule
des travailleurs à cette heure déjà
l'ami qui t'accompagne ne connaît pas
la ville tu lui sers de guide fort
de tes trois trop brefs séjours des années
passées tu tiens à lui montrer du moins
la couronne d'où tu avais examiné
la pointe de l'île dent par dent
tu n'iras pas cette fois tu comptes
du bout des doigts les pièces les deux
dollars qu'on t'a donnés pour la journée
tu te demandes si tu tiendras
le coup jusqu'à minuit si le train
te permettra de t'endormir à moins
qu'il ne déraille au sommet des montagnes
en laissant les familles éplorées
se mordre le sang tu n'oses pas
t'enquérir encore de l'heure certain
malgré la brume qui lève qu'il est
trop tôt pour remonter dans la cohue
vers les gaufres sucrées du déjeuner
tu as rendez-vous tu éviterais
volontiers le Village tu tiens mordicus
à traverser l'avant-midi le parc
en diagonale à visiter le planétarium
et le quartier noir où les boîtes suent

tu le sais tu l'as lu le jazz à plein
nez mais l'argent manque tu tâtes
les pièces au fond de tes poches
et tu te contentes de passer les heures
dans un cinéma tu saisis des bribes
tu reconstruis le film tu revois
quatre fois somnolent les mêmes scènes
le même cul qui te fait débander

douze à bord du DC-8 on te dira
plus tard qu'il a fallu l'intercaler
entre les vols réguliers d'un après-midi
de juillet tu ne remarques pas qu'il s'agit
d'un jet et non d'un turbo comme on en trouve
habituellement sur cette ligne malgré l'absence
d'hélices la vivacité du décollage tu enfonces
dans ton siège depuis trois ans tu n'as pas
volé mais tu retrouves rapidement cette sensation
tu arrives si tôt que le pilote par trois fois
contourne les quartiers limitrophes de la ville
tu regardes la queue les deux lettres
le chiffre tu te dis fallait bien que ça m'arrive
l'ami de l'autre année te retrouve le soir
même à l'hôtel vous passerez le plus clair
du temps dans les cafés trois jours durant

mais entretemps tu referas le circuit
touristique les musées le sommet
des gratte-ciel tu quitteras à l'entracte
la comédie musicale dont le libraire
à deux pas de l'hôtel vous décrivait
par le menu la longue descente
dans l'escalier d'une actrice
un peu passée tu découvriras
la paëlla au pavillon espagnol
de l'exposition tu ne traverseras plus
le quartier noir où les boîtes de jazz

on te l'a dit se sont tues la nuit
tu te promèneras sans trop t'éloigner
de la foule et des limites du Village
tu reviendras

le DC-9 plonge au milieu
du trafic le taxi file
déjà vers la vingt-troisième
et l'hôtel où la porte
à peine fermée ta compagne
échappe à ses vêtements
tire les tentures s'élance
avant que tu ne déposes
les valises vers la salle
de bain d'où elle revient
visage mouillé la bouche
arrondie la langue lissant
invitante les lèvres
et glisse entre tes cuisses
une main sans un mot
de l'autre attaquant
ta ceinture et le bouton
du pantalon la fermeture-
éclair elle s'agenouille
tu bouges le moins
possible une main
dans ses cheveux l'air
ailleurs les muscles
des jambes si tendus
qu'ils te dispersent entre
la douleur et le plaisir
pressenti les images
défilent se rassemblent
au foyer des muqueuses
tu laisses enfin tomber
les valises tu dis surtout
n'arrête jamais tu dis

comme ça continue
comme ça tu parles
du bout des doigts
le gland congestionné
plus tard tu prendras
le temps de te venger
dis-tu la tête entre
les siennes tu diras
viens l'hiver attend
d'étreindre nos peaux
dehors les poumons
fument les cheminées
déambulent avec
leur maigre tirant
quinze coins de rue
plus bas le Village
s'éveille à cette heure
les chambres s'écaillent
les tuyaux s'agitent
entre les parois des murs
et des entrailles viens
tu attends que les crampes
de la faim se déclarent
un malaise entre vous
jeté quelques mots de trop
sur la tension toujours
présente en vos rapports
complexes chacun tirant
de son côté la couverture
et chacun s'en défendant
tu assistes au spectacle
de sa colère une fois
la semaine tu feins
de l'ignorer conscient
de l'avoir provoquée
ce soir tu lances la clé
sur la commode elle saute

sur l'occasion tu éclates
de rire elle ne sait pas
quel jeu tu joues ce soir
elle attend le prochain
indice et tu dis viens
la semaine commence
à nous rentrer dans le corps
profitons-en la nuit
pèle depuis longtemps
la rue de ses passants
nous ne rencontrerons
personne avant la foule
aveugle et bigarrée
du Village où nous serons
en sécurité qu'un couple
de plus dans l'anonymat
des rencontres fortuites
des restaurants des librairies
des cafés où l'accent traîne
sur l'antépénultième
en commandant son espresso
du théâtre où l'acteur
éperonne les spectateurs
de ses interventions
je n'ai pas le droit
de fumer du haschisch
dit-il en allumant
sa pipe de bois
tu n'en vérifies pas
le contenu tu laisses
la litanie de ses phrases
te pénétrer les poumons
mais tu sens que le rêve
ici ne vous appartient pas
tu n'arrives plus à lire les mots
de passe les initiales aux extrémités
de la flèche elle s'enfonce

dans un cœur d'où coulent des gouttes
métalliques taillées de la pointe
d'un canif le long des flancs
du wagon balafré de couleurs
phosphorescentes et tu reconnais
les tiennes parmi les entrelacs
elles tiennent lieu d'un autre
nom d'une autre réalité
celles qui les accompagnent
n'accrochent pas ton œil tu fouilles
éperdu parmi tes souvenirs
et tu te souviens ne disait-elle pas
qu'un jour lointain tu la retrouverais
sans l'apercevoir autrement
qu'en filigrane à ton désir
et qu'elle te poursuivrait
dans les tunnels où ton angoisse
te mène en enduisant ton front
d'une pellicule de sueur
qu'on se retranche derrière
un journal ou lorgne du côté
des murs quand le train crisse
entre deux gares à chaque arrêt
tu évalues les risques la répartition
du territoire le nombre de banquettes
occupées les passagers qui restent
debout sans interrompre le fil
de la conversation les mots t'échappent
tu renoues avec le présent le passé
les inévitables bifurcations du devenir
ignorant du lendemain de l'heure
de la minute même ici qui fuit
de gare en gare jusqu'à ta destination

## un orage et après

*à Sylvie Rousseau*

1.

la nuit la pluie l'éclair
tu as toujours eu peur
depuis que tu connais les hommes
expliques-tu tu te rassures
tu sais bien que la foudre
explosera contre un transformateur
avant d'éteindre la nuit
tu parles de ton frère
de son ami près de la grille
du cimetière de sa moto
de vos sorties à trois de la première
fois où vous aviez fait l'amour
dans la chambre de ses parents
tu rirais ce soir de votre hâte
à vous enfoncer sous les draps
de votre gêne s'il n'était pas
mort à vingt ans


2.

tu dis que rien ne te trouble
autant que d'ignorer si nous sommes
le produit du hasard ou de la nécessité
quelle intention s'y cache et s'il s'y cache
une intention qu'adviendra-t-il
de nous le jour où nous
ne serons plus en mesure de décider
si l'on conserve nos cadavres
en vue d'une éventuelle et très hypothétique
résurrection

la matière qui nous rassemble sera
lessivée ses liens rompus pour le reste
nous sommes constitués d'une somme
d'incidents très réels dont l'enchaînement
nécessite notre existence
et notre dissolution


3.

essaies-tu parfois d'imaginer
la terreur des hommes la nuit
le quotidien surnaturel la réponse
ou l'absence des dieux leur sens
du temps des saisons de l'éphémère
et de la durée les confins de la terre
le déferlement des hordes le maniement
de l'arc ou du javelot quand la bête
fonce les longs voyages à pied les villes
fortifiées la brièveté de leur existence
les heures implacables des usines
le travail des enfants l'ébahissement
lorsque les survolaient les premiers aéroplanes
l'idée que nous étions seuls
dans l'univers


4.

tu t'endormiras bientôt je pense
partir tu ne réponds pas
depuis lurette à mes digressions
muettes les yeux clos tu ne ponctues
plus chaque épisode en les ouvrant
je me tais tu me regardes
il n'y a rien de tel à la télévision

tu sais comme moi que la vie
ne tiendrait pas une heure un auditoire
aussi résolument passif
avec ses temps d'arrêt ses reprises
en mains tu me demandes un verre
d'eau je me lève en secouant
l'invasion de fourmis le long
de la jambe dans une obscurité
qu'agace à peine la flamme d'une chandelle
ou le rougeoiment d'une cigarette oubliée
au fond du cendrier tu dis
le robinet d'eau froide est à gauche
j'effleure ta main


5.


essuie tes pieds avant d'entrer
disais-tu mieux encore enlève
tes souliers tes bas tes vêtements
suspends-les dans la salle de bain
nous nous parlions depuis à peine
une heure quand tu m'as invité
chez toi je n'y avais pas fait
je crois allusion n'as-tu pas
tenu cette parole entre nous jetée
quand je te connaîtrai disais-tu
mieux je te raconterai ma vie
mais tu dois toi d'abord commencer
parle-moi de ce qui t'intéresse tu verras
je ne fais jamais la sourde oreille
quand j'accepte de l'ouvrir
donne-moi des informations
des images du voyage
des raccordements

6.

la plupart du temps je lis
mal ce regard qu'on a sur moi
j'interromps l'influx en portant
ailleurs mon attention
je feins de ne pas l'apercevoir
j'apprends des années plus tard
qu'on tentait d'offrir son profil
à ma lumière que j'ignorais
le surcroît d'empressement
mes mains choisissent
parmi les peaux qui les élisent
leurs centres d'attraction
quels que soient par ailleurs
la conversation le niveau
de connaissance de soi dis-tu
pénètre-moi


7.

il pleut du soufre dans les tentures
elles claquent d'un air fatigué
sur l'été tu tâtes l'air et tu titubes
en demandant d'une voix
que rien ne dérange qu'est-ce que c'est
malgré ton mouvement trop vif à ces coups
frappés dans la porte et que j'entends
mais non la réponse tu ouvres
sur l'affaissement d'un corps
au sommet de l'escalier tu reviens
après quelques minutes il dort déjà
dis-tu dans l'autre chambre

8.

son départ nous réveille l'heure
abrase les corps le claquement
de la porte les rendort enfin
rendus à la tranquillité la pluie
les engourdit l'air éraille
la peau la sueur agace l'aine
tu dis la nuit dernière
il était saoul tu me demandes
si je comprends j'aurais fait
la même chose à ta place
on ne laisse pas dormir son chien
dans la cage d'escalier
à ta place bien sûr je m'entends
j'aurais fait la même chose
j'imagine


9.

le café l'herbe brûlée
les graines rassemblées au fond
du cendrier parmi les mégots
les noyaux de cerise les ablutions
des voisins la vaisselle ta chevelure
ébouriffée ta minceur l'eau
coule dans l'évier tu manges
en regardant dehors le coin
d'une tranche de pain tu l'avales
avec une gorgée de jus d'orange
tu m'offres le couteau la lame
entre les doigts tu les lèches
tu bouges la tête en fronçant
les sourcils je la bouge de nouveau
ne faut-il pas bientôt partir

## visitation

1.

un soir tu téléphones tu t'ennuies
dis-tu tu viendrais bien prendre un verre
tu m'attendras le temps que je passe
te chercher nous irons nous attabler
à quelque terrasse disons dans une heure
tu me donnes ton adresse tu viens
de déménager tu ne rentreras pas
dans les détails tu ne pouvais
plus vivre ajoutes-tu comme ça


2.

je ne sais pas j'ai toujours senti
comme une espèce de désespoir
en toi je ne connais pas ton histoire
sinon celle de tes avortements
à répétition de ton accident
de ton épaule emprisonnée des mois
du manque chronique d'argent
de ton travail à la semaine et tu ris
sans rire aussi des yeux


3.

tu m'offres ce reste de gramme
il n'est plus question de sortir
tu parles peu je t'interroge

parfois tu me regardes qui te fouille
de la pointe des mots tu retiens
ton souffle il y a quelque ange
dans la pièce un personnage
de trop tu voudrais le voir
disparaître avant l'entracte
du décor où tu déambules
tu te retournes il ne bouge pas
ne parle pas n'insiste pas


4.


tu me tends le verre où tu viens de boire
je le prends entre mes lèvres où les tiennes
se lisent tu roules une cigarette
elle tremble devant la flamme tu sais
je ne te permettrai pas d'approcher
davantage malgré l'attrait de ta bouche
où les mots frémissent dans l'obscurité
je te le demande en vain caché derrière
la chaise le coude à vif sur son dossier
tu n'écoutes pas le langage du corps
il te suffit de te lever de revenir


5.


jamais a-t-on plus mal choisi
son temps pour apparaître
que veux-tu donc que je te dise
autant tu ravives le désir
par ta seule existence autant
celui-ci ne trouve plus en toi d'objet
je te caresserais en me souvenant

de la vigueur de tes déplacements
quand tu enfonçais mon flanc
de l'efficacité de tes pièces
de ton silence quand le roi
roulait sur le côté


6.

je prendrais bien la peau
du personnage en écoutant
d'une oreille distraite les mots
plutôt que l'inflexion de tes phrases
ta façon de buter contre la première
syllabe ou de te taire au beau milieu
je t'offrirais des solutions
des panacées contre l'existence
lorsque tu exposes la teneur
de tes renoncements tu regardes
le regard qui te traverse
et ne crois plus au lendemain

## en regardant les vitrines

1.

qu'importe que tu dises vrai la vérité
t'échappe à sa face même tes poings
ne pénètrent pas la table où tu t'appuies
fidèle aux sens qui t'interdisent
de déceler dans ton corps les particules
tu l'oublies tu te réveilles tout à coup
tu rêves déjà projeté si loin sur le plan
horizontal où la vitesse ne se modifiera
du moins pas d'une façon perceptible
de ton vivant tu te retiens à la barre
verticale où l'on te presse le bras
tendu l'épaule incapable de bouger
tu ne quitteras pas de sitôt l'enveloppe
où tu respires avec l'oxygène les gaz
des tuyaux d'échappement la fumée
bleuâtre la poussière levée le remugle
des ruelles du jeudi soir en été
qu'un peu de pluie lessiverait bientôt
tel qu'annoncée sur les écrans
cathodiques l'humidité la ville
dont tu te souviens n'existe plus
qu'à l'état de ruines de terrains
de stationnement de bâtiments
de verre et d'acier l'échelle rompue
des boulevards où tu ne ressens
jamais que colère à leur rappel
par le truchement des magazines
et des recueils iconographiques
tu ralentis sollicité sans arrêt
par les vitrines où les vêtements
en même temps descendus que toi gonflent

sur les mannequins tu te retrouves
dans la fiction


2.


le corps imaginaire en vain
flairé dans un autre
temps dans une autre
vie tu te souviens bien
pourtant de cette silhouette
dessinée d'un contour vague
par la peau de la robe la mode
cloche ou trapèze la coupe
canard les têtes aérodynamiques
des plages le sable entre
la sandale et le pied crisse
tu hésites à saisir sa main
tu refuses de lui parler
te répondra-t-elle
te renverra-t-elle à tes miroirs
ventre plat tu cherches
sous le maillot quelques pouces
carrés de chair dont tu ne connais
pas exactement la configuration
tu jures de lui parler demain
tu jureras demain de lui parler


3.


tu te retournerais qu'elle passerait
sans modifier d'un iota sa direction
d'un côté à l'autre du visage mue
par la seule intensité de ce qui l'aimante

et son retard tu le sens à la rapidité
de ses pas tu marches dans son sillage
au ralenti souhaitant qu'elle ne traverse
pas la ville mais s'échappe dans une rue
perpendiculaire où tu ne la suivrais pas
tu te retournes il n'y a personne
à cette heure calme de la nuit qu'un vague
noctambule à deux coins qui s'éloigne
en équilibre sur les lignes floues
des fissures de l'asphalte où les rails
des tramways d'autrefois remontent
à la surface tu voudrais crier
qu'on t'égorge où nul ne t'entend


4.

le flou l'odeur du sang séché
l'éraflure où te ramène chaque pas
quand le vêtement la frôle
ces témoins que tu réclames
en pressant entre tes lèvres les mots
tu dis que tu ne te retourneras pas
tu n'offriras pas ton profil à la grimace
même si l'on ne t'entend guère
à plus d'un pas
tu dis si seulement la pluie
lavait l'été de ses peaux moites
et desséchées
tu écoutes ceint d'oreilles vives
ce tressaillement depuis la droite
où s'insurgent les fétiches les sabres
tu tends la main vers cette ombre
invisible qui blesse tes yeux
tu noues le lacet qui traîne
sous ton pied la salissure des villes

tù romps le regard qui te perce
un instant du profond des vitrines


5.

il y a ce visage qui repasse
amande amère de l'été
de nos vies d'alors et ce jour
avec son indifférence allait
sans savoir s'enfoncer en nous
sans que les yeux ne se capturent
à l'abri chaud de leurs verres
fumés la paille à la bouche
le profil offert à l'examen
détaillé sous couvert
du spectacle des vagues
la tache de naissance
au-dessous de la pommette effleure
la commissure des lèvres
le sourire qui s'y inscrit
en filigrane le maillot
glisse sur les seins bientôt
relevé d'une main paresseuse
à peine une encoche parmi
le brouhaha de la conversation
viens dit-elle m'enduire
le dos tu ne réponds pas
tu te retournes sur le côté
gauche tu n'as pas entendu
qu'elle s'adressait à toi
malgré ton profil et ses mots
lancés à la ronde et captés
par le dernier venu de la bande
qui s'empresse d'accourir tu la sens
tout à son contretemps les muscles
crispés sous ses doigts

## 6.

dire que tout même la nuit dire
ou ne rien dire du tout des mots
les entendre en soi les débiter
contre une cible imaginaire et réelle
quand ils ne se retrouvent plus
dans leur précaire enchevêtrement
le temps peut-être et beaucoup plus
l'illusion le dépaysement
ce paysage qui va par trop de soi
ces rues parcourues depuis l'enfance
la cornée où se fixent les greffons
franchit l'abîme que fracassé le verre
lui interdit le jour délave ses venins
dans la pénombre où l'eau roule
des tonnes d'excréments de chatons
de cannes de bière et de papier
cette musique où s'échancre la voix
le visage se ferme au monde
soudain pressé de rentrer

**n'est-ce pas**

*à la mémoire de Juanita Payette*

l'étoile explose
à l'extrémité du crayon
dispersant sa poussière
asymétrique à des distances
que l'œil imagine
en perçant les fenêtres

il enfonce le chicot
dans l'aiguisoir inutile
d'effacer la page
perforée la suivante
où le doigt glisse à l'endroit
du désastre il déchire
en quatre polygones irréguliers
ses deux feuilles
il écrit sans trop appuyer
les premières lettres
il enjambe les lignes
les mots qui viennent *loup*
*maison tornade* il ignore
les consonnes les mots
croisés l'attendent plus tard
dans une autre demeure
où la lumière trahira
l'obstination de ses veilles

n'est-ce pas qu'il grandit
depuis qu'il perd
ses dents de lait

la lampe inclinée sur l'épaule

il trace *atroce l'agonie*
la pointe accroche aux fibres
l'encre dépose sa bulle
à l'extrémité du dernier mot
la manche traîne parmi les lettres
il regarde à travers le mur
flou le bruit des pas la strie
traverse les lignes il écoute
la langue du chien sur la main
de l'homme où le sang suinte

dans la sueur et la poussière
du chemin décrivez la scène
pour la décrire utilisez les mots
*atroce agonie rêche* imaginez
quelqu'un de votre entourage
il renifle une larme au coin
de l'œil il se sauve en courant
dans l'escalier

retranché derrière un livre
il épie le mouvement
qu'un chatouillement de la nuque
révèle il attend le froissement
de l'étoffe le chuchotis
trois pupitres derrière
il s'enlise dans le sable
mouvant des abords
du promontoire tutélaire il voit
la pieuvre un poignard entre
les dents la main serrée
sur son scapulaire il écoute
les pages rouler jusqu'au bout
de l'orteil enfoncé dans le sable
humide que l'écume voile à peine
quelques secondes les bulles éclatent
il examine autour de lui les visages

penchés sur leurs cahiers de notes
sertis de traits rouges de fractions

*tu as la peau froide toi*
*dont j'effleure la main la chapelle*
*ardente où tu gis ton nom*
*en lettres blanches près de l'entrée*
*mais que j'appelais grand-maman*
*je ne comprends pas les mots*
*atroce l'agonie je n'imagine pas*
*le chien qui te lèche la main*
*tu ne lèves pas les paupières*
*sur tes yeux d'endormie*
*tu ne bouges pas j'ignore*
*que tu ne bougeras jamais*
*plus j'ignore que jamais*
*plus tu n'appelleras*
*maman par son prénom*

## entre autres villes 3

celle dont les murailles étreignent
les pierres où tu t'enfermes les rues
gravies à la façon d'un étranger
la caméra derrière les yeux
tu en repartiras au bout de quelques jours
en sachant bien qu'elle te drainera
de nouveau derrière ses portes closes
sur le fantôme des soldats

tu t'endors à peine passé
le pont dans l'une et l'autre
direction fi donc
du paysage tu viens
d'arriver les vêtements tirés
sur les membres le cuir chevelu
te démange tu prendrais bien
un grand bol de café

tu grimpes deux à deux
les marches les doigts serrés
sur la clé deux heures
trop tôt deux heures trop tard
une note laissée sur la table
de la cuisine t'apprend le nom
du restaurant l'heure
du départ celle approximative
du retour

derrière on ravale un bâtiment
la poussière dépose avec le soir
sa pellicule d'années la musique
assourdie vibre dans les murs
la basse ailleurs en toi te cerne

les muscles de l'abdomen
les parois du siège où tu t'enfonces
tendent leurs fibres et craquent
sans relever le mouvement que tu as
de te retenir aux accoudoirs

tu attends qui t'attend devant
la télé dont l'écran reflète
la tonalité du jour décliné
par la racine en respirant
profondément ta cigarette cherchant
du coin de l'œil un cendrier caché
depuis qu'il s'abstient de fumer
tu feuillettes un magazine du mois
passé déjà parcouru de titre
en titre jusqu'à l'ultime ligne

plus tard tu remontes le courant
la foule de neuf heures par à-coups
trois ou quatre de front reflue
en grappes tu ne franchis pas
la porte où se faufilent dans la vieille
ville tant et tant d'automobiles mais
celle du bar où tu reconnais à peine
entamés par les semaines les visages
du début de tes allers retours
les alliances les déplacements
la place perdue dans la cohue celle
dont tu ne recevais plus de nouvelles
celle à qui tu n'en donnais jamais

**instantané**

la voix dans le téléphone une fois
retracée son empreinte au fil
des années le déroulement
de la conversation tu ne retrouves
pas ses yeux l'éclat de leur eau
mauve l'après-midi
glissait sous vos corps graves
au milieu des quintes de rire
et vous aviez toute la vie

## wagon-lit

l'un par-dessus l'autre
entre les roues les rails
elle vient la tête appuyée
à la cuisse le clapotis
du métal dans la peau
frémit à l'extrémité
des doigts elle replace
une mèche de cheveux
tressée dans sa bouche
le corps suspendu
tu regarderais la nuit
défiler par la vitre
panoramique tu lèves
le rideau sur le bruit
du vent dans les feuilles
que tu n'entends pas
d'entre les roues les rails
elle ne dormira jamais
plus dans ces conditions
dit-elle si tu ne l'emportes
pas au bout de sa fatigue

## entre autres villes 4

celle où tu ne retourneras jamais
sur tes pas que d'ennui
depuis l'après-midi
d'autrefois tu reconnais
les axes où tu te perds
le temps d'établir les points
de repère le restaurant d'alors
qui te semblait plus éloigné
le café disparu la gare
où les trains depuis lors
n'arrivent plus le canal
où s'appesantit le pont
tu le traverses en longeant
la chaussée n'avait-elle
pas dit qu'elle t'attendrait
de l'autre côté tout près
de la tour du parlement

## pantomime

tu rentres en toi l'hiver
où rien ne la retient
de ces phrases laissées
en suspens parmi les murs
de l'appartement tu donnes
à son désir l'assentiment
qu'elle réclame sans discuter
qu'elle se rencoquille au fond
du sofa dénuée de mots
la question se pose crois-tu
dans l'œil qui te cherche
tu t'éloignes parmi les arbres
du parc le bruissement
de leur feuillage au-dessus
des toits tu n'ignores pas
son appétit la profondeur
de son angoisse au jour
le jour le sentiment
qu'elle a de basculer
dans la mort et tu
n'interviens pas

## entre autres villes 5

celle où tu vois des tramways
pour la première fois depuis quatre ans
I never understood what happened
between us écrivait-elle
tellement trop tard et tu cherches
chaque fois son nom dans l'annuaire
depuis sa disparition

d'elle dis-tu la langue
sur chaque délié la lumière
dans la chambre et le temps

## conversation

l'homme a cessé d'espérer dit-elle
en défaisant sa ceinture
tu dis si on peut dire
et tu attends qu'elle poursuive
elle contemple la montagne au fond
de la chambre vas-tu souvent
sur ton balcon demande-t-elle
pas tellement dis-tu pourtant
tu devrais t'aérer reprend-elle
de temps en temps le système
tu ne sais que répondre
tu te tais mais ça fait rien
fait-elle en glissant sous les draps
tu donnes un maudit bon coup
de queue quand même

## entre autres villes 6

celle qui te ramène
à l'interrompu roulement
du fer à cheval au loin
d'où l'heure t'entraînait
par l'autoroute une fois
la frontière passée depuis
le milieu du pont tu regardais
pour la dernière fois du séjour
l'arc-en-ciel enfoncé
dans la brumasse du matin
tu n'en auras rien à dire
aucune chanson ne l'énonce
mais entrer dans un nom
ne te trouble pas davantage
qu'autrefois les après-midis
de programme double au stade
quand on venait d'ici même
et qu'il te fallait gagner

## entre autres villes 7

celle dont tu aperçois
au loin le cocon
qu'interdit la journée
de retard dans le déroulement
de l'itinéraire
ah
tu la maudirais de connaître
le comptable dont le fils
unique a lessivé le nom

## entre autres villes 8

celle où dithyrambique
l'électricité déchire
de six millions de volts
la texture de l'air
où tu te retiens de même
un moment de respirer
en figeant dans la foule
interdite du planétarium
et tu te demandes un jour
saura-t-on vraiment tout
mais dans quelles filières
dans quels circuits inconnus
la connaissance descendra
-t-elle des vingt-six étages
de la tour appelée du savoir
et comment tout absorber
les poussières prolifèrent
sur les étalages de fruits
les cheminées des aciéries
noient le cœur de la ville
où les bâtiments triangulaires
gisent dans leurs reflets
de vitre en allongeant
la tresse des innombrables
ponts ne marcheras-tu pas
dès ce soir dans ses rues
n'emprunteras-tu pas au gré
de ta fantaisie la première
ligne de transport n'iras-tu
pas n'importe où le vent
te mène en ce désert habité

**entre autres villes 9**

celle dont la blancheur
crue des bâtiments cuit
ces peaux lustrées de sueur
sur l'esplanade où rien
n'arrache aux blessures
de l'été bien que tu évites
sous le rebord de ta casquette
aux couleurs de Brooklyn
l'insolation son obélisque
gravi marche à marche
dans les échos confondus
contre une heure d'attente
en fin de ligne l'unique
ascenseur ne suffisant pas
à la tâche cette journée-là
comme une autre de semaine
et traînant de la patte
dès le premier tiers tu lis
les inscriptions des parois
les chevilles vibratiles
en rêvant d'une pinte d'eau
glacée mais grimpes grimpes
le dernier tiers au galop
cœur débattant lèvres
abrasives qu'à tes pieds
s'étale enfin souffle repris
l'espace de l'Enfant

**entre autres villes 10**

celle dont les oiseaux
tutélaires fracassent
leurs ailes sur le pare-brise
de l'autobus en renonçant
aux arrière-cours des banlieues
dont les reliefs ressemblent
à s'y méprendre à ceux
de tous les autres dortoirs
d'America tu y repasses
dix ans plus tard et pénètres
son cœur de poussière à l'ombre
de la capitale illunée de nuit

## entre autres villes 11

celle où tu passes le temps
d'interroger le baiser de marbre
sur ta méconnaissance du corps
féminin jamais aperçu d'alors
que sous l'agacement des plages
en longeant la cuisse froide
l'ongle rogné jusqu'au sang
d'un doigt que tu ne regardes pas
tendu vers ce qui se dérobe
à cet instant tu n'entends pas
la cloche du glas de jadis
le prêche au nom de la liberté
mais te perds entre les paumes
vibratiles de la cathédrale
en miniature et rêves déjà
d'un autre lieu d'un continent

## entre autres villes 12

celle d'où le train de la mer
t'emporte à l'extrémité
de ces trois lentes semaines
sans que tu ne perçoives le trajet
de l'une à l'autre gare sans souci
de l'attente d'une heure au moins
dans un hall que dès le lendemain
tu refuserais de reconnaître
extirpé de ta fatigue
sans regret de quitter le groupe
inévitable à l'intérieur du groupe
sans que la valise ne pèse à bout
de bras tu la quittes sans savoir
si jamais tu reviendras dans une
autre vie flairer l'odeur du thé
dans l'infusion portuaire et sans
comprendre la leçon d'histoire
de la veille à l'arrêt d'autobus

## la dernière fois


la dernière fois sans savoir
que c'était la dernière
sans savoir que c'était
ce visage qui te reviendrait
tandis que seul tu vieillis
qu'à l'abri du temps tu
protèges en effaçant ses rides
à volonté ses cheveux poivre
et sel sa bouche qui te brûlait
la chair en escaladant
ses plis le doigt furetant
aux alentours du clitoris
et son superbe abandon

## mot à mot

les mots qu'il ne fallait pas
qui ont laissé du linge vide
entre tes doigts de tortionnaire
sans doute n'ont-ils pas échappé
à ton attention ta si parfaite
maîtrise quand tu en usais
parmi tant et tant de phrases
et sans doute avais-tu raison
d'affirmer qu'il s'agissait là
d'un lapsus et sans doute
à l'avenir confieras-tu à d'autres
bras ton âme dis-tu blessée

## l'épervier noir

les trop folles journées de l'épervier
noir qui n'en pouvait mais
de t'attirer dans ses envols
du moins les leçons qu'il dispensait
ne les as-tu écoutées que d'une oreille
distraite en visant la moyenne
et maintenant que tu connais
depuis longtemps la lenteur de la verge
lisse dans les parois lubrifiées
de la chair entrouverte ne lis-tu
que d'un œil la suite de ses aventures
en constatant qu'au contraire
du commun du moins lui
ne faisande-t-il pas

## déréliction

je n'ai jamais cherché tout
à mes inquiétudes le bonheur
de vivre doucement contre
le reflet du temps sur ton visage
écris-tu craignant sa réaction
tu déchireras comme auparavant
cette lettre et tu ne parleras pas
de la longue lassitude des os
te rappelles-tu seulement les marches
du début les cafés qui n'en finissaient
plus le sommeil au petit matin
quand vous vous étreignez en silence
dans ce décor qui va de soi

celle entre les jambes de qui
tu t'enfonces une fois
terminée la sonatine
pour violoncelle seul
fallait-il que ce fût elle
ce cul de loin dévoré
dans un bar qu'on te jette
à la face les dents serrées
sur un baiser qui se refuse
au retour la première
où s'engloutisse ta verge
dressée contre l'épouvante
diffuse dans la chambre
quand rien ne te menace
et qu'elle sait si bien
quelle tourmente t'étreint
quelle timidité se loge
à ton enseigne quel nom
se cache derrière celui
que tu lui donnes la langue
attentive au frémissement
de ton épaule enfin nue
les dix-huit ans qu'elle affirme
s'appelle-t-elle ou non
Maria tu te souviens
de ton éclat de rire en lisant
dans un roman qu'elle garderait
son scapulaire et tu te dis
qu'elle te suivrait au bout
du monde si seulement tu
le lui demandais tu regardes
au loin les arbres bruissent
de l'autre côté du terrain

de stationnement les mots
dans les deux cas d'une langue
abominée vous échappent
brèves rafales où les doigts
suppléent à la bouche bientôt
remplie d'un baiser
la fenêtre capte le bruit
d'une conversation tu n'entends
que la musique des syllabes
où tu devines bonsoir
ou bonne nuit ou un prénom
de femme dont tu imagines
le visage illuminé
parmi les flots de néon
tu crains que le cœur
n'éclate entre tes côtes
et le cœur bat sans arrêt
jusqu'à l'extrémité du vertige
ses cuisses magnétiques tu
t'y coules fauve l'estomac
pressurisé par l'alcool
et soudain vidé de tout
autre appétit que de sa peau
respirée du fond de l'angoisse
que ce mouvement rêvé
qu'en ta main tu simulais
depuis bientôt quatre ans

## entre autres villes 14

celle où tu débarques dans l'idée
d'appartenir à la famille
des êtres de bonne volonté
tu enfiles noire ta première
tasse de café que noire elle
te tend son œil examine
à travers toi le feuillage
qui rutile entre les deux
poutres de bois de l'auvent
blanc tu laisses traîner
la monnaie sur le comptoir
et l'on t'assaille aussitôt
de babioles dont le prix
t'échappe les vêtements déjà
te fissurent les aines
et tu vas dans l'agglutination
des mains qui te saisissent
les manches sans insister
tu t'échappes dans un taxi
vers ton hôtel par des rues
que traversent les tranchées
des égoûts contre la chaleur
poussiéreuse tu demandes
au chauffeur de ralentir
il accélère dans un tumulte
de mouvements le regard
éclaboussé de rire
et tu regardes ailleurs
la blancheur des bâtiments
la barbe qui t'oint le visage
l'amuse dit-il en toutes lettres
crois-tu comprendre en croisant
du bout de l'œil le sien

au coin du rétroviseur
et tu te demandes bien pourquoi
sans pour autant la lui poser
cette question qui t'assaille
et tu feins d'éclater à ton tour
et le cœur comme on dit
n'y est pas

celle que la jeune fille
accompagnée visiblement
de ses parents reflète
en traversant d'un pas
plutôt décidé la baie
vitrée de l'aéroport
où dix secondes tu la suis
qui te paraîtront dix minutes
et pourquoi pas des heures
et pourquoi des années
plus tard te souviens-tu
précisément de ce visage
et de lui seul qui s'attarde
une fraction peut-être
au tien malgré le mur
que tu sautais la nuit
la plage les couchers
de soleil émeraude la mer
et l'épopée distillée
à longueur de pages
de magazines le rhum
à quelques sous la bouteille
l'odeur de la chair chaude
et des aines scarifiées
la vibration du discours
fleuve sur la place dont
les mots t'échappent sinon
la portée des invectives
la côte où se terraient
les corsaires de jadis
dont tu ne connais même
le nom quand tu escalades
la chemise en lavette

les paliers du boulevard
en hurlant le nom de celle
qui ne t'embrassera pas
le jour enfin de ton retour

**entre autres villes 16**

celle où tu ne descendras jamais
plus depuis qu'escale entre les îles
et le continent sa ceinture d'hôtels
dévore l'horizon

## fleurons glorieux (divertissement)

1.

tu vas
tu vaques à tes affaires
tes navigations coutumières
dans la fluidité de la ville
où se rétrécit ton territoire
jusqu'à la peau de chagrin
comme tout un tu te débrouilles
tant bien que mal et plutôt mal
que bien sur le plan pécuniaire
tu écoutes chaque soir ou presque
attentivement le journal
télévisé la voix de catherine
bergman et celles
des correspondants à l'étranger
depuis quand gardes-tu
tes distances devant l'histoire
le passé l'avenir
tu as beau te dire sait-on
jamais tu vis dans la tranquille
assurance du lendemain
jamais tu ne rentreras pas
jamais tu n'abandonneras
derrière toi tes familles

2.

tu vas
tu vaques à tes affaires
les heures passées derrière

la table de travail
derrière arrêtes-tu la quatrième
ligne écrite et pourquoi
pas devant pas le long de l'un
des longs côtés les lignes
où s'appuie la calligraphie tracent
un treillis contre l'opacité
du papier du lignage qui ne révèle
nulle transparence
et tu seras rentré trop tard
pour les informations le début
du dernier film un livre
attend que tu t'étendes plus tard
quand les mots ne s'offriront plus
ni les visions saisies dans leur
déchirante proximité
leur approximation
ni l'étape suivante du voyage
et chaque fois tu te demandes
à quoi bon voir demain
seulement le voir
que la peau rayonne entre les doigts


3.


tu vas
tu vaques à tes affaires
quelque chose dans le ton
te perce tu as beau
te retrancher derrière ton livre
la conversation de la table
voisine tu n'y échappes pas
depuis que chacun veut
se faire entendre les mots
s'enflouent tu les lapides

et tu témoignes du silence de Dieu
page après page les voix qui te parlent
exposent celles que tu entends
tu ne reconnais personne
tu imagines


4.

tu vas
tu vaques à tes affaires
les mots te servent d'écrans
d'épingles que tu enfonces
tour à tour tu ne liras pas
plus leurs textes qu'eux
les tiens qu'importe si tu ne comprends
pas leur langage les ellipses
de l'actualité la précipitation
de l'histoire en quelques phrases
prononcées sur le même ton
qu'une réclame consacrée
aux malaises gastro-intestinaux
tu vis tu circules tu ne regardes
tout que de très loin les images
mouvementées dont la réalité
t'indiffère en te gavant tu passes
à autre chose


5.

tu vas
tu vaques à tes affaires
bientôt tu te retrouveras seul
entre les draps que son odeur

imprègne il y aura les derniers
mots imprévisibles de la phrase
où tu t'arrêtes la rapidité
du sommeil qui te happe
entre deux paragraphes
et l'avidité du jour
que l'oubli consume


6.

tu vas
tu vaques à tes affaires
la mort d'autrui qui ne t'atteint
jamais que par procuration blesse
pourtant cette part de toi
où tu te retranches
crois-tu muni de raison
dans la déperdition


7.

tu vas
tu vaques à tes affaires
des paumes scarifiées qu'à contre-jour
tu examines les lignes fuient la proximité
du départ te rend fébrile et tu marches
avec une lenteur inaccoutumée
tu n'as pas vu son visage des derniers mois
tu ne réponds pas plus à ses lettres
qu'il n'existe de réponse
à tes interrogations

8.

tu vas
tu vaques à tes affaires
les capitales qu'hier encore
tu repérais de l'autre côté des voies
se dédoublent tu répéteras plusieurs
fois l'expérience à quelques jours
d'intervalle et le spectacle
éveille en toi ce sentiment
d'urgence auquel tu ne réagis
toujours trop lentement
que dans l'exiguïté
de l'absence
de choix


9.

tu vas
tu vaques à tes affaires
la couverture des villes convient
qui te rend à l'anonymat des données
démographiques des listes d'électeurs
où tu relèves de tes voisins le nom
de ceux que sans les connaître
tu aperçois au hasard des courses
du samedi des ordinateurs
qui jalonneront tes dérives
jusqu'à ton enterrement

## l'indifférence


la foulée rétrécie sur la glace
tu entends qu'on te parle du froid

la dernière fois tu n'as pas regardé
la fin de la partie tu n'y étais pas
tu voulais tant que l'un ou l'autre
s'échappe les mots ne venaient pas
tu redescendais la rue jusqu'à ce
que les orteils disparaissent
au fond de tes bottes doublées
de mouton parmi des visages
que tu ne reverrais jamais

tu attends

## l'instant face à face

1.

l'aisance avec laquelle tu passes
la porte à chacun de tes retours
et ces noms que tu échappes
dans ton demi-sommeil
ces murs qui te protègent
tout au plus du vertige
tu n'y convies depuis
longtemps personne
et tu parles tu parles
tu ne sais plus quel sens
donner à ces mots que tu entends
du fond de la fatigue
pour un peu tu saliverais sur tes feuilles
de papier quadrillé
tu disperserais les ratures
les traces de tes passages
à des âges divers
tu examines l'apparence
des détails les anneaux
qu'un trait de scie traverse
tu effleures leur surface
la vacuité des ceintures
d'électrons où tu t'appuies
des deux coudes et qui ne risquent pas
de s'ouvrir sous ton poids

2.

que de guerre lasse le front
se fasse froid les excès
de table affichent
à la lisière des côtes
leurs avis tu en effaces
la teneur en calibrant
la posture adéquate

3.

tu ne reconnais pas ce dos
mais tu sais que tu marches
à côté d'elle bras dessus
bras dessous l'automobile
n'arrive toujours pas
qui l'arrachera de l'épaule
où sa tête s'appuie la chevelure
chatouille sous la saillie
de la mâchoire et tu sens
que tu te retiendras bientôt
d'éternuer qu'elle succombera
plus tard à ses blessures
que tu te répéteras tant mieux
sans que pour autant la douleur
ne s'atténue qui brûle au flanc
de la cuisse où le métal
décape ses couches de peau

4.

tu l'as rêvé tu l'as voulu

jour après jour des mois
durant tu l'imaginais
montant avec sa lenteur
exaspérante les marches
qui menaient à l'entrée
de l'édifice où elle vivait
au sommet dans son deux
pièces tu effleurais du bout
de l'index la gâchette
l'intersection de la mire
entre les omoplates
légèrement vers la gauche
et tu ne lui destinais
qu'une seule balle explosive
avant de prendre la fuite
parmi les rues désertées
de la ville où sans répit
l'instant te poursuivrait


5.


tu voulais t'échapper
vers l'avenir et les cuisses
où tu gommerais la vision
récurrente de l'assassinat
consenti dans l'impunité
tu les ravagerais de doutes
au point de les rendre
interchangeables les mots
tu ne les écouterais plus
que voilés par la pénombre
tu en userais de même
que devant toi celle
qui t'en assourdissait

**routine**


descendre de nouveau vers la vieille
ville tu n'en as pas l'intention
pas dans cette bordée qu'exposent
la fenêtre de la cuisine
et la fissure incurvée qui la révèle
pas avant du moins de sauter
ton premier repas

**entre autres villes 17**

celle où tu passes la frontière
au volant de l'automobile
qu'aucun garagiste n'oserait
traiter durant cinq mille
kilomètres tu ne connais
que par ouï-dire ses chaînes
de montage l'été des émeutes
l'ennemi sur la patinoire
au fort des années cinquante
et sans un détour tu poursuis
par la prochaine autoroute

celle où l'accent t'indique
la longueur de la route
épuisée depuis l'aube
carbonifère tu y ressens
pour la première fois la peur
t'envelopper de regards fixes
et n'apprends de personne
les indications ni du policier
qui t'examine à travers le miroir
de ses verres en marmonnant
par trois fois ses réponses
entre des lèvres immobiles
ni du Noir qui te montre le poing
après s'être sucé l'index
de la main gauche ni de la femme
seule dont tu n'oseras pas
sonder dans la rue brûlante
sous ses lampes au mercure
le sens de l'orientation

## entre autres villes 19

celle et tu n'iras que le jour
en cuisant dans l'automobile
jusqu'à ce que les aines soient
écorchées celle où l'on voudrait
que tu évites la rue sans laquelle
elle ne serait pas celle qui
t'attire à travers les champs
de coton la résiliation du droit
de vie et de mort l'illusion
que tu entretiens de connaître
l'esclavage les inférences
du texte traité par le biais
de l'humour et du second degré
les liens de famille avoués
revendiqués avec le Diable
fût-ce par alliance tu n'en sais
rien de plus passé le dernier
jour qu'au moment de ton arrivée
en catastrophe et tu n'en reviens
tout simplement pas d'être
déjà parti

celle où tu revois le tramway
qui tourne avant de défoncer
l'écran pour aboutir aussi
propre qu'à sa sortie de l'usine
au Vieux Marché tu n'y arrives
qu'au bout de quinze ans de désir
et de clichés ressassés musique
enjouée des funérailles noires
dans l'ahurissante humidité
visions du début du siècle
réduites au nerf par la distance
à l'attraction touristique
par l'exploitation du légendaire
et tu marches dans les rues mêmes
dont les noms surgissaient
des commentaires de l'époque
où tu découvrais l'existence
à ton corps défendant du jazz
qui ne résisterait plus guère
après la première audition
tu défiles des litanies de noms
de personnages dont aucun
enregistrement n'existe
et crois entendre la trompette
annonciatrice de l'aube
où tu longes dès ton arrivée
les limites de la vieille ville
avant d'en parcourir les deux
axes et d'aller t'endormir
au bruit de la climatisation
du dernier étage d'un hôtel
des après-midis tu t'enfermeras

au cinéma au restaurant
dans ta chambre frigorifiée
tu n'erres dans le Quartier
dont tu quitteras les limites
à peine le temps de monter
vers les banlieues de la ligne
Canal-St. Charles que la nuit
parmi les gobelets de plastique
les éclaboussures de bière
les bars où tu cherches en vain
quelque trace d'émotivité
qui ne découle pas du négoce
rentable par trop d'illusions
jusqu'au soir où tu te retrouves
dans le lieu de tous le moins
fréquenté qu'envahit une voix
de son sens de la dérision

celle où tu rentres au motel à peine
la nuit tombée
en attendant de reprendre la route
au plus câlissant
why dont you blow me just right now
well et puis plus rien jusqu'à son God
you really give great head
presque textuellement tiré d'un film
que tu ne captes pas sur ton écran

## gravitations

tu vis son attraction sans y penser
plus qu'il ne faut votre conversation
ne s'entend pas aux tables
où tu t'assois seul tu ne regardes
pas plus à la dépense qu'au temps
ravi de ta première nuit d'amour
elle t'entraînait pour tes beaux yeux
sans savoir que tu connaissais à peine
l'abc de ses attentes grâce aux livres
de la bibliothèque familiale
dont certains passages particulièrement
bandants t'empêchaient de descendre
à l'endroit prévu dans les explications
embrouillées du lendemain ton père
à ton arrivée taillait les quartiers
de son pamplemousse en riant
dans sa barbe de la veille et toi
tu ignorais qu'il ne te poserait
ni le jour même ni par la suite
la question que tu redoutais tant

## la lassitude

il neige de l'autre côté
du périmètre où tu l'entraînes
avec son compte de mots
tu ne cherches ni l'harmonie
des rapports tels que décrite
à la page cent quatre-vingt
de la dernière mode
ni la ligne juste
ni le bon parti
tu n'étreins que de loin ce corps
irradiant de désir
mais l'écoutes jusque dans l'extrême
lassitude de la veille
quand l'une après l'autre
les syllabes butent
contre tes dents
de près tu examinerais le grain
de sa peau perforée d'abîmes
de champs de bataille
aperçus mille fois
grossis dans les pages glacées
des revues scientifiques
tu t'endormirais sur-le-champ
tant la fatigue tenaille
sur le prélart de la cuisine
ou dans son lit tu dis
je rentre elle ne bouge pas

**lèvres**

la pâleur de ses lèvres tu l'évoques
bientôt les mains bien au chaud
sous la couverture elle avalerait
si lentement ton plaisir pour peu
que vos horaires coïncident malgré
le silence qu'aucun coup d'œil
furtif dans l'espace où son travail
la retient prisonnière ne rompt
répétant chaque fois pourvu que
l'avion lève encore une fois cette
fois pourvu qu'il me ramène à ses
lèvres fertilisées dans l'imaginaire
des hivers solitaires des chambres
d'hôtel où les draps restent froids

qui n'en parlait avec nostalgie
parmi les ascendants
que tu n'entendrais pas de celle
dont dix générations dix gouttes
de sang huron te bannissent
ton aïeul pêcheur venu de Brest
en Plaisance alors établissement
français des côtes de Terre-Neuve
deux fils y naissent leur mère
échappée bien avant son siège
de la cité de LaRochelle Marie
Aubert la huguenote convertie
forcée son propre père disparu
sans un prénom bien que l'ait
porté l'un des petits-enfants
et leurs descendants quant à eux
de foi catholique et pratiquant
divers métiers mais passons

tu ne montes plus à bord d'avions
depuis dix ans la belle affaire
tu reportes à l'année suivante
chaque année ce pèlerinage
inévitable et pars sur un coup
de tête et traverseras six fois
l'Atlantique en moins de deux
ans n'éprouvant qu'au dernier
de tes dérangements l'éreintement
du décalage horaire

tu aimes ou tu n'aimes pas
tu aimes
comment ne pas

comment ne pas laisser
surgir des filières d'images
les innombrables cartes
postales du cinéma
des descriptions romanesques

portes rasées de la circulation
fluide battement des roues
contre l'arête arrondie
des pavés monuments
pierres

tant de mots échappés dans ses eaux
que tu n'en perçois plus le fond
mais les phares qui les longent

que toi dans la soudaine détresse
d'être ce corps ces jambes
qui élancent dès le milieu
du premier après-midi

tu ne connaîtras jamais tout
ni l'infime partie caché
derrière ton journal
américain les résultats
de l'avant-veille

jour après jour examinant
le flux rue de Rennes
de la foule où les visages
ne repassent jamais
qu'à l'heure prescrite
et l'unique un soir tombé
dont tu t'éprends le temps
d'un dernier café-crème
que tu n'appelleras un crème
qu'au moment du retour

les mots tu les inventeras
mais tu ne vivras rien
de ce trouble à l'idée
qu'on se méprenne

tu laisses la scène
des adieux défiler
deux secondes durant
ses quarante-huit images
imaginaires

et tu lui dis j'aimerais
vous dessiner de mémoire
une fois reparti vous savez
je ne connais rien des codes
j'entends si peu de paroles
et tant de conversations
à sens unique

tu dis depuis des années
j'attends je ne sais trop
quoi je n'en éprouvais pas
le désir je suis venu

mais tu n'éprouves pas
l'accent qu'à son allure
vivace tu discernes
et celui qui te sollicite
des voitures tu choisis
de passer outre avec
un frémissement dans la verge

le soir les rues
te happent toujours
les mêmes

tu écumes les librairies les comptoirs
de glaces les papeteries l'avant-midi
tu te précipites dans l'ailleurs
en évitant les musées la fin
de semaine qu'on appelle ici
week-end ou deux bouchons
pour la bicoque l'entends-tu
dire à la table voisine

non tu ne ressens rien
de la nostalgie de naguère
tu n'y habiterais pas
plus de quelques semaines
à la fois

tu n'y survivrais pas
cela du moins le sais-tu

**livraison spéciale**


how about a week-end
long crash course in French
love écris-tu sur la carte
postale et tu signes
anytime your place
or mine give me
a ring lis-tu sur la sienne
à peine trois jours plus tard

## frasque à Frisco

have you hugged your privates
today t'interroge ce collant
sur le pare-choc de l'automobile
aux couleurs visiblement de l'armée
américaine hélas et pourquoi pas
sur le champ dans le carré de l'union
d'où tu effleures le funiculaire
d'un œil qu'alimentent les sushi
de tout à l'heure tu poursuivrais
bien par une *rencontre*
*sur l'oreiller*
tu poursuis

## communication

tu sais bien qu'il n'y aura
pas là de reconnaissance
tu le vis tu te demandes
combien de temps que l'oubli
non pas l'oubli mais le regret
s'installe à demeure et surgisse
aux moments de tous où tu te sens
le plus seul tu lui parleras
du désir que tu as dû détruire
de sa récurrente fulgurance
tu en exploiteras les effets
dans l'étreinte et tu le sais
tout aussi bien tu attendras
croiras-tu des années
s'il le faut jusqu'à ta mort
s'il le faut

**entre autres villes 23**

celle où son corps s'offre
de profil en attendant
les bagages la sensation
du plaisir immédiat
que tu mets à l'épreuve
aussitôt les défenses
bien en place les mots
prêts à la riposte et bien
entendu tu succombes
pour user d'un cliché
de l'époque où la ligne
droite menait à la roue

tu succombes d'autant
plus qu'elle ne ressemble
pas à la photographie
de la semaine dernière
dans le journal tu viens
pour dire quelque chose
d'intelligent du genre
pensez-vous que c'est vrai
le froid qui nous arrache
la peau par lambeaux
du visage et tu te tais
le convoyeur démarre

tu t'en voudrais c'est
sûr de partir en peur
mais depuis trois ans
tu traînes un malaise
qui contraint tes élans
depuis trois semaines
tu poursuis une idée

fixe depuis trois jours
tu sais que tu n'iras
pas plus loin qu'elle
refusera ta prochaine
invitation la première
acceptée sous un faux
prétexte et tu t'en veux

tu pourrais déjà le dire
tu ne l'écouteras que d'une
oreille et te retrancheras
derrière tes répliques
en songeant à l'interdit
de parcourir à pied
les trois ou quatre coins
de rue quitte à s'asseoir
sur autrui l'habitude
seule permettant dit-on
d'affronter ce climat
de loin le plus venteux
du pays te disait-on
déjà dès ton arrivée

tu n'en retiendras pas
que l'horaire étouffe
ton désir de t'échapper
dans les rues ni le ton
de sa voix qui chuchote
au milieu des oreilles
mais la fugitive sensation
d'un retour imprévisible
ici même où tu parierais
avec le Diable si le Diable
existait que jamais vraiment
jamais tu n'y reviendrais

## la résignation


le bois ne luit plus
qu'où tes pieds traînent
sous la table sans trop
que tu t'en aperçoives
tu lis de la première
à la dernière page
le magazine entrepris
dès la fin de l'émission
des jours et des jours
durant tu ne réponds
plus à la porte plus
au téléphone tu ne sors
que pour les provisions
tu dors des semaines
durant dans les mêmes
draps tu entends l'eau
de loin qui éclabousse
de rouille la baignoire
tu n'oses plus écrire
ici le mot cigarette
la sensation plutôt
t'assaille une minute
et demie peut-être
trois tu n'oses plus
pas tant lui écrire
et tu lui dirais quoi

**entre autres villes 24**

celle où tu recueilles
dans les pierres les pas
du promeneur lointain
deux années durant
tu la revois derrière
Catherine et ses adieux
dans le foyer de l'hôtel
Catherine qui te lance
les as-tu aimées toutes

celle où s'élance aussi
loin que le peut la flèche
rose le regard grave tu
en cernes de pas la forme
de noyau de l'île aperçue
dans le guide au secret
de la chambre où tu cales
sous l'édredon les passants
faits rares l'après-midi
de ton arrivée les valises
défaites les mots réduits
à l'impérieuse nécessité

celle où tu ne mets pas le pied
sans appréhension sur la chaussée
malgré la flèche qui t'indique
de quel côté jeter d'abord un coup
d'œil au bout de tes quatre jours
de séjour tu n'en connais toujours
que la silhouette au loin des tours
du pont qui tombe sans répit
dans la comptine de *jadis déjà*
mais manques n'en plus repartir
quand l'automobile à la première
distraction t'arrache des mains
le parapluie que tu portes au cas où

celle où tu te reposes
des jours si vite passés
qu'au retour tu oublieras
sans trop d'événements
qui te retiennent de fuir
en avant les bonnes
adresses plus tard même
les noms tu ne les ressortiras
qu'abstraits de leurs visages
celui de Ginette qui n'a pas
répondu celui de Denis
à qui tu n'auras pas écrit
malgré ta promesses à la gare
où tu laissais passer l'un
après l'autre les trains
jusqu'à l'avant-dernier
les collèges tu les reverras
sans eux si tu les revois
et les chapelles tu resteras
comme alors des heures
des heures à déchiffrer
la fluidité de leurs pierres
le pont mathématique
tu en examineras encore
les faisceaux tu demanderas
comme alors ton café blanc
deux ou trois scones rêvant
de séjours indéfiniment
extensibles d'un avenir
dévoré ligne à ligne
et lorsque tu rencontreras
son nom qu'une trajectoire
autre eût longuement lié

à cette part de l'existence
où tout n'était que désir
tu mesureras l'étendue
de ton enfermement

**écrire**

1.

tu t'ennuies trop
des graphies sur la page
au quart de pouce quadrillée
de bleu lorsque la machine
aligne ses frappes identiques
malgré les fluctuations
disons dis-tu que tu aimes
sans pouvoir expliquer
pourquoi savoir un peu
dans quel état tu te trouvais
que tu procèdes par intuition
que tu n'as de tes tâtonnements
qu'un aperçu pour le moins
sommaire une table tout au plus
des matières


2.

trois lignes manquent avant
la douzième rayées
tu faisais allusion aux idées
reçues de l'époque actuelle
et très rapidement
tu as préféré la juxtaposition
malgré la présence des relatives
consécutives chaque fois
te rappelant le conseil reçu
jadis de les éliminer chaque fois
n'en faisant qu'à ta guise

et voilà que tu digresses de nouveau
bien malgré toi




3.

en enlevant deux lignes
à chaque fragment le huitième
n'en aurait plus qu'une
et la neuvième s'enfoncerait
dans l'anti-poème et tu ne pourrais
plus jamais en modifier
la teneur et tu la laisserais
tant qu'elle voudrait lire
au-dessus de ton épaule
ces mots que tu interdis encore
à ses oreilles




4.

cette fois-ci ça sera neuf
si tu t'en tiens à la ligne
de conduite fixée dans le fragment
précédent mais sait-on
tu pourrais revenir
sur ta déclaration tu pourrais
affirmer qu'il s'agissait
là d'une lubie passagère
d'un pis-aller




5.

la feuille divisée en deux

par une ligne imaginaire
mais néanmoins réelle
tu vois à l'œil que le poème
n'entrera pas en son entier
dans le cadre indifférent
à tant de ratures


6.

elle demande si tu viendras
bientôt te coucher d'un air
qui ne laisse aucun doute
sur ses intentions tu t'empresses
d'achever


7.

ce qui ne t'empêche pas de téter
vingt minutes durant sur ces
trois lignes


8.

écris si tu oses plus avant

## la sourde oreille

tu gardes pour toi les mots
qui saccageraient ce visage
après tant de temps tu sais
si bien te retrancher derrière
ceux qui ne prêtent pas trop
à conséquences tu t'aperçois
qu'il ne transparaît plus rien
dans vos rapports de cet élan
qui vous précipitait alors
dans les bras l'un de l'autre
à peine la porte fermée
tu sais bien qu'il te faudra
le lui dire un jour et plutôt
tôt que tard que tu ne réponds
plus de l'idée qu'elle a de toi
tu n'habites pas le lieu
où elle vit tout à son aise
tes heures n'appartiennent
jamais qu'à toi tu ne tiens
pas compte des obligations
qui l'entravent ni du désir
d'une modification du modus
vivendi maintes fois exprimé
contre ta si sourde oreille

**entre autres villes 28**


celle d'où tu ne partiras pas
sans déchirement l'ombre
violacée des montagnes
l'après-midi t'y ramène
quand tu te rêves léchant
le plaisir entre ses cuisses
tu revois la chape grisâtre
au bout de l'arc-en-ciel
tout en bas sur la ville
tandis qu'elle invite à l'amour
en mordillant tes doigts

**entre autres villes 29**


celle où tu ne sentiras ni le sol
frémir ni le fantôme pressenti
des enfants-fleurs de tes trente ans
traverser l'intersection magique
où les anges desséchés brasillent
dans la fixité de l'héroïne
tu n'en découvre pas moins les cartes
postales des conversations entrecoupées
de souvenirs communs dans le silence
soudain des tables toujours voisines

## premier amour

*pour Louise L.*

### 1. premier amour 1

tu n'attendais pas ce visage
surgi des méandres où tu
l'oubliais ton silence d'alors
et le sien comme l'exigeait
l'étiquette et profitant de sa
timidité qu'elle attende elle
attendant puis n'attendant
plus sans doute assez vite
croyais-tu te rassurant
n'appelant jamais plus
ton silence comme offrande
à ce si merveilleux bonheur
du seul fait d'être ensemble
tu ne te voulais pas aimé
tu refusais de reconnaître
son assentiment même à ton
incapacité de lui accorder
autre chose que toi tes mots
ta peur de la perdre l'image
insupportable des comparaisons
toujours à ton détriment pensais-tu
qu'elle ne manquerait pas de faire
à la première occasion ce visage
qu'en vingt-cinq ans tu n'as
jamais revu tu ne sais pas si
tu ne l'as pas massacré

## 2. beau fixe

rien ne se présente
cette nuit des mots
tu liras sur l'étreinte
cosmique des atomes
sur l'accrétion les corps
perturbés ne s'agit-il
pas tout simplement
d'attendre le printemps
parmi les infiltrations
l'hiver n'en finit pas
d'osciller la chaleur
amincit les vêtements
le lendemain la neige
te surprend les pieds
tard l'après-midi
le chauffage hoquette
de loin en loin l'air
limite les mouvements
aux trop rares rotations
tu oublies la plupart
du temps de réfléchir
aux forces tu te gaves
de données tu changes
le malaise de place


## 3. premier amour 2

vas-tu m'obséder davantage
qu'au cours des dix derniers
jours lui écris-tu sans écrire
autrement que dans cet influx
de mots précipités l'un contre
l'autre dénudés de tout contexte

tu ne percevais rien à l'époque
du futur qui t'anime à présent
que vous n'occupez plus le même
espace tu n'imagines même pas
le scénario de cet amour mort
irrésolu de désir et de douleur

tu ne chercheras pas de réponse
à la question l'instantané
suffit qui te regarde d'un œil
rieur dont les contours fuient
quand tu voudrais tant les fixer
juste un instant que la mémoire

sache et toi ce qu'elle attend


## 4. à petit feu

tu dis pour le moment
c'est ce qu'on croit façon
comme une autre de mettre
un terme à la conversation
sur le sujet de la matière
dont tu lisais récemment
que la faible production
d'hélium semble indiquer
l'indivisibilité plus avant
que les quarks de bifurquer
disons sur l'étonnement
présumé des gens d'autrefois
tirés du leur dans ce siècle
tu prendrais un autre
verre de vin mais ne tends
pas la main vers la carafe

un peu trop éloignée sens-tu
de l'autre côté de la table
où tu t'appuies tu penses
qu'il te faudra de nouveau
déménager dans cinq ans
d'ici de la ville où tu meurs
à petit tout petit petit feu


## 5. premier amour 3

l'incessant entretien
l'écho des autres états
que la mémoire trahit
quand tu la sollicites
de trop près la relation
morcelée les images
s'effilochent les traits
fuient tu n'aperçois
plus que sa jeunesse
une impression de bonheur
contre un décor vide
où t'attendait-elle
que ses parents t'ignorent
où alliez-vous soumis
à l'impératif de l'heure
danser lentement marcher
vous donner des étoiles
que dans votre éternité
vous regarderiez ensemble
en disant t'en souviens-tu


## 6. affleurements

il n'y a pas lieu de paniquer

racontes-tu de moins en moins
souvent pour ton miroir
ton unique passion ta folie
n'exigent-elles pas de toi
ce côté casanier qu'on te reproche
de plus en plus fréquemment
quand tu remets à plus tard
un rendez-vous prévu pour le soir
même et tu sens leur peur
de vieillir affleurer
dans le ton d'indifférence
feinte de leur intervention


## 7. déménagement

la montagne cernée
par le cadre peint
de la porte arrière
tu ne la reverras
plus tu n'as pas su
vivre dans ce lieu
le plus habitable
de ceux que tu as
investis de ton ordre
et de ta précarité

les moments disparus
que ne ramènera pas
le décor où tu vas
te cloîtrer davantage
et toujours davantage
ou qui sait ressurgir
habiter de nouveau
la ville avoir envie
de rire ou de pleurer

tu ne les vivrais pas
si tu en avais le choix
dans quelque hypothétique
autre vie tu laisserais
à d'autres la rupture
tu ne te tairais plus
trois ans durant sinon
par bribes par ébauches
de phrases dans l'écho
de ta présence là même
où tu n'évites pas tout
à fait de l'évoquer seul
dans l'immensité du lit


## 8. premier amour 4

tu cherches les visages
de jadis dans la foule
où l'on ne repère pas
davantage le tien tu
ne t'étonnes qu'à peine
du peu de cas qu'on fait
de tes angoisses tues
ne renonces pas plus
qu'alors à l'appeler
toi le souvenir elle
dirait toi le souvenir
et pas plus qu'alors elle
ne ferait le premier pas


## 9. premier amour 5

l'été de la coupe
canard des jupes

blanches plissées
l'été du prénom
dans la chanson
qu'effaçait le sien
murmuré quand tu
t'assoupissais
des conversations
contre le merisier
qui s'éternisaient
l'été de la plage
des deux semaines
qu'elle y passait
du baiser rêvé
des jours durant
du plaisir isolé
de son répondant
celui du désir
fou de la première
mort


## 10. premier amour 6

le trait s'épaissit sur
la feuille lisse où tus
les mots déferlants de la
marche tout à l'heure
histoire aussi de prendre
en passant cette pinte
ce litre de lait ce pot
de yogourt les mots tu
n'en vois que les premiers
sous l'entrelacs quelques
-uns réchappés des ratures
où tu maintiendrais
n'en doute pas son nom

même si tu le pouvais
en ce jour à cette heure
de la nuit qu'est-elle
devenue plus de deux
fois plus âgée qu'alors
et toi quelle part
de toi-même as-tu
donc dévastée

celles dont tu ne palperas jamais
mieux qu'à travers leurs climats
pressentis tout au long des pages
relues le grain des pierres celles
où tu t'engloutirais sur le champ
sens aux aguets qu'allant au gré
des bifurcations tu reconnaîtrais
pour tiennes tu erres sans motif
lances-tu dans un univers vide
tu tiens pour postulat cet énoncé
tu rêverais de te retrancher derrière
son indifférence dût-il perdre
sa capacité de s'ouvrir au hasard
si tu ne subissais les forces qui tuent
regardant au téléjournal ces hommes
qui reposent le soir en différé tu veux
tenir au loin la clameur que la clameur
cesse et tu te recroquevilles dans l'angoisse
en comptabilisant la somme des coïncidences
du plus lointain passé tu ne visiteras
pas les cités de l'espace tu ne remonteras
pas à tes origines tu ne verras pas
les derniers états de la matière jamais
tu ne sauras

celle où tu reviens au bout
du compte des voyages des séjours
plus ou moins longs dans les influx
d'images l'œil attentif
à ne rien perdre le corps grave


1.

quelques coins de rues
avant l'extrémité de la ligne
où l'y (the *wye* disent
les iconographies consultées
toutes de langue anglaise
ou plus précisément américaine)
occupe une cinquantaine de pieds
de la rue Walkley tu habites
un bloc d'appartements tel que vu
du toit tu te confondrais
croyais-tu savais-tu même
avec les lignes du trottoir
tu entends derrière toi le 3A
clapoter dans ses rails tu attends
que le tramway vire tu traverses
regardant à gauche à droite déjà
le mince trafic de ce lointain
quartier bâti de bout en bout
l'immeuble ramené à ses trois
étages l'asphalte lisse l'univers
saccagé de ton enfance les champs
à perte de vue le chien s'éloigne
la queue ravivée quand tu l'appelles

avec dans le corps ce mouvement
d'hésitation entre la caresse
et le bol d'eau fraîche qui l'attend


2.

tu sentirais la mort en toi
savourer le pèlerinage
épier dans la fixité
des instantanés remémorés
l'aveuglement de l'instant le devenir
absent ce présent contre l'horizon
bouché la prolifération les vitrines
vides le bric à brac du père
Brown et ses mots emportés
l'épicerie depuis quand cédée
le désir abrégé de reprendre
pied dans les pièces d'écouter
le battement des murs le désir
de dormir de rester là le temps
de réintégrer l'avenir où tu vis
désormais


3.

son nom tu l'ignores
pourtant qu'une photo
de l'album te ramène
sur le tricycle si beau
pensais-tu penses-tu
qu'avec son aile rouge
vin tu lui enviais
ses yeux bruns son silence

sa présence où l'enfant
l'attendait le moins
la ruelle interdite
sa pente raide à tes yeux
d'alors vingt ans après
revue tu te rappelais
la gravir au volant
de ton tram personnel
qu'elle suivait de deux ans
qu'elle habitait derrière
chez toi de l'autre côté
de la pente un petit bloc
sans ascenseur


4.


le 4444 au volant tu te répètes
le nom des rues transversales
tu fouilles les correspondances
et n'acceptes pour ta collection
que les plus rares les élusives
des quartiers où tu n'erres pas
déjà les interminables samedis
après-midis tu descends toujours
le dernier la plupart du temps
seul à l'extrémité de la ligne
où parfois t'attend ta mère
en promenant ton si petit frère


5.

l'unique premier
jour ta mère ce tout

premier jour d'école
t'entraîne à l'entrée
de la cour où t'attendent
cette religieuse rieuse
ses robes empesées
ce geste le tout premier
jour de recul tout petit
animal ignorant tout
des rites l'accolade
à laquelle tu te dérobes
en lui arrachant la main
que tu ne lui permets pas
de prendre l'intention
de passer tout petit
animal inaperçu


6.

racontez vos dernières vacances
aimez-vous patiner
quelqu'un dans votre entourage
est-il mort cette année
décrivez le salon funéraire
décrivez ses derniers instants
l'agonie fut-elle atroce
un boulanger juif rôtissait
un petit nègre dans son four
Lili n'est qu'une fille
les cheveux de l'homme
frémissaient à la surface
de la lise un homme possédait
un chien décrivez sa langue
rêche sur ses plaies décrivez
la mort du chien le remords
de l'homme une fois son erreur

connue rappelez-vous toujours
que Jésus vous porte dans son cœur
décrivez votre confirmation
votre première communion
préparez-vous à recevoir Jésus
aimez-vous Jésus aimez-vous
ma sœur aimez-vous vos parents
servez-vous des mots atroce
l'agonie n'oubliez jamais
que Jésus peut venir vous prendre
au milieu de la nuit


7.

le 3A jusqu'à Girouard
le 48 jusqu'à Snowdon
le 17 jusqu'à Cartierville
l'autobus Gouin jusqu'à
près du pont de Pont-Viau
le 24 jusqu'à de Lorimier
puis de nouveau le 24
jusqu'à Sainte-Catherine
et le 3A jusqu'à Somerled
entretemps ta grande-tante
Angélina qui n'en croit pas
ses yeux de te voir arriver
seul


8.

*feurmez le bouche*
*le bouche le vache*
*le bouche* répétait
dès que tu le voyais

123

en éclatant de rire
le père protestant
qui tenait jardin
rue Madison au flanc
de la ferme italienne
du petit camarade
qui n'en apprendrait
davantage de tes mots

des grands bouts
de champs par-ci
par-là gisaient
sous les fondations
les planches qui peu
à peu se dressaient
contre ton horizon

de deux ans ton aînée
Tania tu t'en mourais


9.

tu n'avais jamais revu les petits
amis du voisinage le premier
déménagement passé trois coins
plus loin tu ne reverrais plus
après le second le quartier
que bien des années plus tard
l'espace disparu sous le poids
de la brique la roche fracturée
où tu examinais les fournis
escalader tes doigts l'horizon
bouché tu n'y retourneras que mû
par la nécessité d'un anniversaire
chez ton frère qui l'habite ce coin

d'enfance qu'il n'aura pas connu
tu reconnais à peine le premier
bloc et le second tu n'y retournes
jamais tu sens en toi la nostalgie
quelque sentiment de l'irrémédiable
en apercevant à travers les fissures
dans l'asphalte les rails des trams
d'alors tu saisis de ce tout autre toi
des bribes des fascinations des extases
ton désir de solitude ton insatiable
curiosité ton bien-être de toujours
dans la ville où tu passes inaperçu
les longs itinéraires de l'automne
jusqu'à l'école du nouveau quartier
l'année de l'ultime déménagement
de l'enfant


10.

il ira te reconduire
et puis tu descendras
inconscient de l'avoir
échappé comme on dit
belle avant beaucoup
plus tard le moment
venu d'y repenser
comment pouvais-tu
monter dans ce véhicule
qui depuis des années
déjà t'insinuais l'air
de rien dans la foule
et dans la géographie
du transport en commun
cet après-midi-là
tu prenais la brise

entre deux dessins
rue Saint-Urbain
Nicole peignait
sans discontinuer
tandis que tu barbouillais
tu laissais le temps
passer dans les larges
marches de l'École
fier de la soudaine
occasion d'étaler
du haut de tes neuf
ans ta connaissance
de la ville d'aller
à la rigueur montrer
le bâtiment recherché
quitte à revenir
à l'heure pour la fin
du cours ce samedi
d'octobre ou de mai
c'est qu'il s'intéresse
à l'art expose-t-il
en exhibant du coup
sa bizoune tu regardes
droit devant tu voudrais
te jeter dans la rue
comme tu l'avais vu
réussir à la salle
paroissiale quand
le bon s'échappait
des griffes de Fu Manchu
tu dois bien avoir
une sœur demande
-t-il en ajoutant presque
aussitôt l'as-tu déjà vue
tout nue tu réponds
qu'oui qu'elle attend
ton retour et s'il veut

bien qu'il t'attende
et tu reviendras avec elle
dans quelques minutes
et quand tu reviens
voir s'il t'attend
toujours tu ne le vois
plus dans les parages
et tu rentres chez toi


11.

iconoclaste tu n'en apprendrais
que beaucoup plus tard le sens
tu l'étais fracassant sans trop
t'en apercevoir derrière toi
qui basculait la Vierge de plâtre
son cri chacun plus attentif
qu'à l'accoutumée par la suite
à son exposé tu ne la craignais pas
tu savais qu'elle n'irait pas
jusque là tu ne regardais pas
les fragments mais sa course
vers toi vers les éclats au-delà
ma statue ma statue ma statue
c'est à sa statue qu'elle parlait
et non pas à toi


12.

tu ne veux pas te souvenir
cette vision de l'enfant
terrifié qui pleure entre deux
rangées de cases tu l'écartes

du moins jusqu'au lendemain
quand les signes t'en traversent
le dos rond dans l'expectative
du coup de téléphone attendu
depuis trois ou quatre jours tu
ne sais plus tu n'oses pas non
plus lui dire que tu la désires
que tu lécherais son clitoris
un doigt peut-être agaçant
l'entrée du vagin jusqu'à
ce qu'elle t'ordonne d'arrêter
sans que tu saches vraiment
si tu dois lui obéir ou non
tu retrouves l'enfant qui pleure
entre deux rangées de cases
tu lui dis voilà ce toi
c'était moi


13.

ne l'as-tu pas assassiné
seul à seul dans le périmètre
où se jouent les parties de ballon
-panier l'événement ressurgit
-il tout autant de sa mémoire
depuis cinq ans trente ans
plus tard de sa mort
évitée ce début d'après-midi
dans la salle de récréation
du collège son cou
se rappelle-t-il tes mains
passerais-tu seulement
de nouveau par cet accès
de rage meurtrière ce désir
de l'anéantir cet élève

en retard arriverait
-il cette fois dix secondes
trop tard


14.

la neige au flanc
de la montagne fond
tu sais prochaines
les vacances d'été
la note de passage
visée la veille
de chaque examen
l'invasion proche
un an des chenilles
revient la canicule
de mai l'inconfort
du vêtement le temps
qui ne passe jamais
assez vite et passera
sans que tu le voies
venir en cet espace
vide où Dieu déjà
ne t'entend plus


15.

tu ne parles jamais
que si l'on t'interroge
les leçons tu ne les as
pas apprises les devoirs
tu les rends à moitié
faits tu passes tes jeudis

à transcrire des phrases
particulièrement idiotes
à propos de ce que tu feras
éventuellement de ce que tu
ne feras plus par exemple
lire au cours de l'heure
d'étude obligatoire du soir
ou chuchoter quelque réponse
entre tes dents qu'un voisin
reprend à son compte et
tu as beau te le répéter
qu'à ce jeu tu ne gagneras
jamais tu mises sans arrêt
jusqu'à ce que soit hypothéqué
ton dernier jour de congé


16.

il te demandait pourquoi
tout ce sang dans ton texte
une fois la classe vide
et tu croyais qu'il fallait
lui en mettre plein la vue
tu ne voulais pas sa mort
tu la châtiais seulement
de son infamie dans un film
de l'été précédent
que tes mots calquaient mal
et tu ne répondais pas


17.

seul au monde malgré

le cadre où tu circules
entravé de ces multiples
interdits levés si tard
dirais-tu plus tard trop
tard dirais-tu ces fois
si rares de confidences
et d'alcool entremêlés
trop tard pour ta jeunesse
trop tard pour n'en être
pas dépouillé de désirs
qu'épanchaient tes mains
quand la maison dormait
à l'abri de ton trouble
soir après soir animé
de la crainte d'une porte
brusquement entrouverte
pas le temps de cacher
le magazine d'éteindre
de t'endormir la chair
ainsi qu'en se voilant
la face l'on disait alors
en parlant de ces choses
appelées de la vie la chair
durcie sous le pupitre
au moment où la cloche
appelle à la récréation
la chair qui de nouveau
raidit juste avant
l'arrêt où tu devrais
descendre du tramway
la chair que tu soulages
soir après soir la main
poisseuse dans les draps
la vision des corps l'été
que les maillots révélaient
dans leur infranchissable
du moins le croyais-tu

d'abord si mystérieuse
aura de l'autre peaux
frolées que la pénombre
des plages nie bouches
parlant ou ne parlant
pas parlant de tout
autre chose et surtout
pas de ça


18.

descendant à travers
le cimetière vers le bas
de la ville où la foule
aimantée flue sur l'onde
violentée de ses désirs
un air écouté la veille
encore aux oreilles
mains dans les poches
mine de rien l'épaule
courbée sous le poids
d'un mal imaginaire
mais néanmoins réel
tu vas avec ce visage
que tu ne reconnaîtras pas
avant lurette pour tien
parmi la dissémination
de la matière organique
avec l'arme imparable
t'a-t-on dit du signe
de croix contre ces
fantômes qui respirent
sous toi

19.

pour ce que ça peut bien
vouloir dire tu baises
dit-elle du haut de ses
seize ans comme un intellec-
tuel et tu n'en as toujours
que dix-huit et ne sais pas
ce qu'elle peut bien vouloir
dire peut-être après tout
n'as-tu pas lu les bons
livres *Le Mariage parfait*
l'inaccessible idéal à tout
coup de l'orgasme simultané
tu la pénètres sans trop
de ménagements tu ne sais
que faire de ce corps allongé
qui t'attend sans étaler
pour toi le tien tes oreilles
l'expérience qu'en paroles
dans l'autobus au retour
chez elle d'un tête à tête
chez toi quelque peu prolongé
parmi les tasses de café
tu l'entendais te décrire
par le menu répétant
lorsqu'avant de descendre
tu refusais de répondre
à sa question non voyons
c'est pas plus grave que ça
pensant elle au moins
on peut pas dire qu'elle a
peur des hommes pensant
j'aimerais faire l'amour
avec toi mais j'oserais pas
te le dire pas après tout

ce que tu viens d'énoncer
là tu penserais que je veux
seulement c'est sûr profiter
de l'occasion mais elle
elle ajoute que ça sera
pour la prochaine fois


20.

écrivant qu'importe
aux yeux d'autrui
la difficulté d'être
l'unique objet tu
la page du carnet
ligné tu devines
que dans cinq mois
cinq ans tout au plus
tu la déchireras
en parallélépipèdes
irréguliers les mots
cassés tu les auras
relus à tête reposée
tu ne comprends rien
aux poèmes que tu lis
cherchant sans cesse
entre les lignes ceux
qu'on t'aura demandé
d'y débusquer tu lis
pêle-mêle les aînés
les morts les mythes
les premiers recueils
les œuvres complètes
et tu n'y arrives pas
malgré l'expression
béate des couventines

au café où tu traînes
à longueur de journée
mâchouillant des heures
durant ton sandwich
au saucisson sec


21.

tu la photographies
parmi les bruissements
de la montagne l'automne
dénuée de ses feuilles
il y a deux semaines
déjà que tu l'attends
au café l'après-midi
lorsqu'elle quitte l'école
en catastrophe et court
passer son quart d'heure
quotidien près de toi
tu voulais changer d'air
te rapprocher te cacher
maintenant que chacun
savait dans un périmètre
de deux tables savourer
sa présence dix minutes
de plus voir aux alentours
si l'on vous surprendrait
comme la veille encore
dans la ruelle du café


22.

tu t'arrêtes sur des visages

de cette foule où tu passes
trois ans dans la convergence
d'inconnus qui le demeurent
avec leurs motivations propres
tu ne les retrouveras jamais
plus qu'au gré des circonstances
nantis d'enfants de divorces
drôlatiques ou haletants guère
trop enclins à quelque confidence
passé le haussement d'épaules
résigné du que veux-tu c'est la vie
tous ces visages pelés de désirs
inassouvis dans l'image rasée
chaque matin que leur renvoie
leur miroir et chaque matin
dissoute une fois la porte passée


23.

la lettre à vrai dire
tu connais son contenu
dès qu'elle te la tend
tu n'en es déjà plus
là les mots précisent
l'ampleur de tes jeux
pour un peu tu rirais
tu ne lui donnes pas
tort d'y voir si clair
un jour tu la tueras
dans un roman


24.

tu gis dans la pâleur

de l'aube elle voudrait
que tu te sentes toujours
bien déclare-t-elle elle
affirme qu'il s'agit là
d'un genre de profession
de foi que votre amour
si neuf lui tire sa vie
ne l'a-t-elle pas plus
qu'éprouvée ses rapports
avec son père son mépris
de la médiocrité vas-tu
me ramener dit-elle
avant qu'on ne s'éveille
à la maison dehors
après l'ultime étreinte
les skieurs partent déjà
vers le nord l'un d'eux
son voisin d'en face
vous salue tous deux
ne vous connaît-il pas
depuis la nuit des temps
l'hiver n'en finira pas
de te tourmenter les larmes
gèlent sur tes joues qu'elle
caresse encore de ses gants
tu sais que tu la retrouveras
le soir même et tu n'en ressens
pas moins cet arrachement


25.

tu lui permets de remonter
dit-elle aux années escamotées
de son enfance mais tu n'es
pas sans savoir que souvent

tu la terrorises sans prévenir
pour un oui pour un non
de tes sautes d'humeur et ce plan
tu le connais par cœur
qui se résoud dans la pénombre
de la chambre où tu l'entraînes
sans trop te faire prier
tu mesures ton bonheur
tranquille à l'aune du cinéma
que ne dit-elle qu'elle ne t'aime
plus l'appartement vivrait
crois-tu tandis que là qu'en dire
qu'à la relecture tu ne t'ennuies pas


26.

tu tentais sans fin de lire
entre les lignes de ses phrases
filées mine de rien tu disais
les mots ne sont pas innocents
tu te distribues la plupart
du temps le rôle du méchant
dans un film en noir et blanc
de série B tu la fais taire
sur-le-champ lorsqu'elle affirme
que tu ressembles à un gros matou
tu voudrais qu'elle poursuive
dans cette voie mais ton attitude
la rebute et même si tu comprends
sa réticence tu lui en veux même
si tu lui donnes raison sur toute
la ligne tu n'en agis qu'à ta tête
en cherchant son point de rupture

27.

du jour où tu la prends
pour acquis tu annonces
à tout venant l'intention
que tu n'as pas encore tout
à fait arrêtée de t'en aller
vivre comme on dit ta vie
seul et de tête à tête en tête
à tête il te faudra trois ans
pour en venir à bout mais
n'anticipons pas à propos
de cette série de désastres
émotifs sans doute beaucoup
plus dommageables pour autrui
que pour toi n'affirmes-tu pas
à brûle-pourpoint ton désir
ce soir au-dessus d'une tasse
de café tandis qu'elle fait
la vaisselle de la quitter
n'ajoutant pas la suite prévue
pour deux ou trois semaines
le temps d'y voir un peu plus
clair dans vos rapports vides
ajouterais-tu de toute la folie
de vos débuts tu n'entends
qu'à peine sa réponse tu n'en
peux mais de son acquiescement


28.

il aura fallu cette rencontre
d'abord d'un soir alimenté
de l'isolement parmi les couples

où l'on vous confinait peut-être
malgré vous pour que s'enchaîne
aux mots mûris l'été durant
tu n'en reviendrais pas l'élan
qui vous chavirerait tous deux
contre la foule ta compagne
de bientôt quatre ans l'auteur
dont on lançait ce soir-là
le livre et dont tu détestais
soudain qu'il vous interrompe
mais elle prenait les choses
en mains répondait plutôt
sec à ses expectatives riait
de lui qui s'en apercevait
si tard s'en allait au loin
dans l'autre coin de la pièce
où tu la rejoignais aussitôt
parmi les yeux crevés l'on
ne vous entourait déjà plus
déjà tu l'entends qui voudrait
partir et tu ne le peux pas
pour le moment mais plus tard
quand il ne restera personne
que les ultimes retardataires
toujours les mêmes toujours
prêts à descendre jusqu'au fond
de la dernière demi-cruche
de rouge et ta compagne est là
qui t'attendant vous verra
partir ensemble et saura


29.

tu fais semblant de ne pas
connaître les paroles de l'air

qu'elle chantonne à ton intention
depuis bientôt vingt minutes
sans discontinuer tu n'oses pas
vraiment croire qu'elle agit ainsi
comme toi-même tu l'aurais fait
si tu y avais pensé plutôt qu'elle
et feins de vouloir entreprendre
quelque conversation sur un sujet
vaguement exotique dont tu possèdes
certains rudiments mais elle va
s'étendre et tu ne t'amuses plus
tu ne comprendras rien jusqu'au soir
où vous direz nous avons tout brûlé


30.

les morts déjà tu passes
la trentaine à peine
déjà tu les comptes
sur les doigts la tête
vaporisée de chevrotine
le contenant de somnifères
à deux pas de la table
de chevet le sommeil
au volant l'étouffement
dans un placard la chute
en montagne la mort
à vingt ans de causes
dites naturelles sa mort
que tu lui as rentrant
plus tôt qu'à l'accoutumée
volée celle que tu vas
chaque jour jusqu'à tenter

## seule à seul

1.

tu n'as pas d'abord de corps
cachée sous les tissus lâches
de tes vêtements mais ce visage
là qui recouvre soudain ta voix
l'avant-veille encore entendue
dans l'écouteur je n'ai le choix
ni d'y consentir ni de le nier
tu ne seras désormais jamais
plus celle à qui l'on attribue
de multiples formes ton nom
ne sera plus ce vide tu vis


2.

pas
tout de
suite non
pas aussitôt
cela ne se dessine
pas non je ne pense
pas sur-le-champ cela
que les rencontres seraient
de moins en moins fortuites
je ne pense pas à l'idée de te revoir
non je ne connais pas ton existence
je ne sais rien d'autre que ce visage
et ce nom

3.

tu ne me donnes pas
tes nuits voudrais-tu
le penser que non
tu n'y parviendrais pas
penses-tu des jours des mois
plus tard la première nuit
d'amour passée désirée non
tu ne l'auras pas désirée
tout de suite non vraiment
tu ne peux penser que tu l'as
désirée tout de suite non
tu ne l'as pas désirée tout
de suite et tu le lui diras
plus tard une fois la première
nuit d'amour passée


4.

je ne m'ennuie toujours pas
quand tu ne téléphones pas
durant deux mois je ne pense
pas à toi je n'imagine toujours
pas le déroulement des journées
dans cette éclaboussure de néon
le lendemain du jour où je t'y
reverrai je t'oublierai


5.

elle tu ne veux pas que j'aille
plus loin que cet échange de livres

avec elle tu me refuses prétends-tu
les ignorant ne connaissant
personne qui les sache sa nouvelle
adresse son numéro de téléphone
mais la ville tu la nommes
à tout hasard je ne poursuis pas
l'interrogatoire si je veux jamais
la retrouver je la retrouverai
par d'autres moyens je ne te tiendrai
pas au courant de mes démarches
ni ne les entreprendrai


6.

tu es là tu mâches
la chair crue des fruits
d'une mer arrosée de saké
tu voudras plus tard
m'entendre commenter le choix
de ta robe neuve ta peau
te fait-elle ton vagin
m'irait-il ou pas
ça ne se pose toujours pas


7.


minces cuisses
que le pantalon si serré dénude
tu prends corps dans l'œil qui te fouille
te désire soudain
te veut

144

8.

dans la chambre contiguë
tu l'imagines maintenant
qui repose seule sans doute
à bout de fatigue sa main
cherchait dans l'obscurité
du taxi la tienne laissée
là jeux de doigts d'ombres
chinoises entre vos cuisses
lointaines parmi les feux
disséminés sur le boulevard
de banlieue la conversation
lente séparée de vos gestes
simplement de tendresse
qu'elle entrecoupe d'éclats
de rire et tu lui lanceras
qu'il faut savoir les courir
les risques lorsque l'allure
incertaine elle s'en ira
vers le fond du corridor
et la porte de sa chambre
elle attend que tu viennes
la rejoindre effleurer
sa joue ne te dit pas
d'entrer te dit oui les risques
je connais l'histoire des risques
et tu sais qu'elle t'aimera
davantage de la laisser là
que d'insister tu n'insistes pas


9.

les conversations des heures
durant chaque fois où l'occasion

s'en présente celle-ci ne fera pas
exception crois-tu malgré le désir
exprimé d'abord dix-huit jours
plus tôt sans doute un *effet du vin*
pense-t-elle penses-tu trop abondant
tu t'attendais à son silence et c'est toi
qu'elle vient rejoindre délestée
de ses obligations toi qui te surprenais
sans en être à vrai dire surpris
de ses appels dispersés simplement
pour le simple plaisir de te dire
bonjour en fin d'après-midi
par la ligne directe depuis dix-huit
jours toi qui l'entraînes vers le parc
à cette heure où *la lumière effleure
l'étang de ses dernières caresses*
en attendant de repartir par l'autobus
de sept ou huit heures elle n'a pas
précisé je pouvais sentir le rat dira
-t-elle au moment de se rhabiller
quand tu m'as proposé cette bouteille
de blanc comme par hasard au frigo
je suis horriblement chatouilleuse
dit-elle tandis que l'extrémité des doigts
dérive vers l'intérieur de ses cuisses
tu en douterais même si je l'affirmais
je ne pensais pas t'inviter chez moi
avant que tu ne me proposes d'aller prendre
un verre et même en t'invitant j'étais
loin de penser que ça tournerait comme
ça tu parles en prose dit-elle c'est
tellement bon d'être ici ce soir
et d'être chez toi

10.

sans la froideur des draps
deux heures après son départ
tu n'y croirais pas vraiment
cette histoire d'autobus à prendre
de famille à rassurer qui t'interdit
ses nuits les matins où le départ
s'allonge le soir venu tu bois
dans son ballon le vin glacé
le goût de feuillage de sa bouche lente
elle avait dit je pars tout de suite
si on ne fait pas l'amour elle avait dit
tu détruis ma volonté quand tu me touches
comme ça j'aime que tu détruises
ma volonté quand tu me touches comme ça


11.

*lick a clit* lis-tu
sur la marquise du cinéma
vaguement pornographique
du coin de la rue où tu émerges
d'un autre voyage souterrain
tu penses à ses sursauts ses petits
sons dès que tu la frôles
préfères-tu les seins volumineux
demande-t-elle et tu lisses les siens
petits à petits coups de langue
dix-huit jours durant
tu t'ennuieras d'elle de ses yeux
si rieurs de ses hautes pommettes
des rides légères qui constellent
sa peau de blonde la tension

continuelle du vêtement
jusqu'à gémir dans la laisse
de ses eaux du consentement
à l'étreinte et de nouveau seule
sa voix dans le téléphone
trois mois dit-elle donne-moi
trois mois et tu maudis l'été
dont tu attends déjà la fin


12.

elle reviendra bien avant
le lointain octobre affirme-t-elle
sans trop savoir si les circonstances
le permettront si elle ne devra pas
mentir et six jours plus tard
tu n'en peux plus d'attendre
son retour et tu ne veux pas
lui téléphoner lui demander de venir
et tu lui dis seulement que tu t'ennuies
d'elle et que tu n'en mourras pas


13.

quand tu la reverras dis-lui
ce manque en toi de l'autre
quand l'autre a l'allure qu'elle a
marchant nue dans la chambre
ou fumant sa cigarette vers la fin
du repas d'un milieu d'après-midi
dis-le-lui dans les sept lettres
des trois seuls mots que tu connais

**congé**

libre à toi de propager ailleurs
dis-tu les fluides les photons
dont ton visage à la lueur floue
du regard où tu t'appuies s'emballe
et saute de l'œil de l'un à l'autre
point mur fenêtre table de chevet
vide je ne veux pas de départs
interminables s'il faut que tu
t'en ailles pars qu'à ton gré
le temps te ramène s'il faut
qu'il te ramène tu reviendras

que vas-tu chercher là
s'inquiète le personnage
tu attends que j'aie terminé
mon numéro tu rentres
chez toi dormir
quand arrachée de la vision
vide la foule s'éparpille
à pied dans ses automobiles
de l'autre côté de l'épaisseur
des murs tu entreprends
le compte à rebours des ans
qu'il te reste à vivre le rêve
tu n'en retiens au matin
que des bribes tu t'enfonces
dans ta journée l'espoir
aidant qu'elle aboutisse
au plus vite je ne justifie
rien je ne t'apporte pas
la jouissance immédiate
que tu appelles la charte
des droits de ta personne
tous devoirs exclus contre toi
les mots dont tu ne cesses pas
de te nourrir avec avidité
je les retourne qu'ils fracassent
tes illusions tes certitudes
et tu dis qu'il s'agit là d'un jeu

# bibliographie

*entre autres villes 1* et *entre autres villes 4,* ARQ, numéro 8, juillet-août 1982;

*en regardant les vitrines,* Nouvelle barre du jour, numéros 122-123, février 1983;

*premier amour,* Estuaire, numéro 27, printemps 1983;

*lèvres,* Lèvres urbaines, numéro 2, août 1983;

*seule à seul,* Nouvelle barre du jour, numéro 135, février 1984;

*livraison spéciale* et *frasque à frisco* (sous le titre *en descendant du BART*), Montreal Now!, à l'occasion d'une lecture publique à l'Université McGill, 29 février 1984;

*entre autres villes 31,* lu par Pascal Rollin, a été diffusé par la Société Radio-Canada dans le cadre de l'émission Alternances, réalisée par Raymond Fafard, le 8 avril 1984.

Les poèmes de *kaléidoscope* ont été écrits à Montréal, à Québec et à Vancouver de mars 1981 à juin 1982. L'auteur tient à remercier le Conseil des Arts du Canada et le Ministère des Affaires culturelles du Québec de leur contribution à sa survie durant cette période.

# table des poèmes

# L'auteur

Né à Montréal le 31 octobre 1941. Études classiques au collège Jean-de-Brébeuf puis à l'Université de Montréal où il s'occupe avant tout du *Quartier latin,* journal bi-hebdomadaire des étudiants, de 1961 à 1964. Découvre entretemps l'existence de la poésie à l'automne 1957 et lit dès lors Saint-Denys Garneau, Grandbois, Anne Hébert, Giguère et Hénault dont il trouve les ouvrages dans la bibliothèque familiale, de même que les soixante premiers titres de la collection Poètes d'aujourd'hui.

Un premier poème paraît dans un journal estudiantin en 1959, puis un premier recueil en 1964 : à la fin des années 50 et au début des années 60, deux rencontres déterminantes l'avaient incité à poursuivre : celle de Maurice Beaulieu, d'abord, qui devait l'aiguiller vers les nouvelles voix d'alors (Césaire, Ponge...), puis celle de Pierre Emmanuel qui, ayant lu quelques-uns de ses poèmes, l'encouragera fortement. Fonde en 1965 les Éditions Estérel où paraissent les premiers titres de Victor-Lévy Beaulieu, Nicole Brossard, Raoul Duguay, Louis-Philippe Hébert, Serge Legagneur et Luc Racine.

Il fait brièvement partie du comité de rédaction de la revue *La Barre du jour* à l'automne 1966 avant de lancer avec quatre confrères dissidents la revue *Quoi* dont les deux seules livraisons paraîtront en 1967. Après la fermeture d'Estérel, travaille à divers titres pour plusieurs éditeurs et entreprend une brève carrière de journaliste ; plusieurs reportages paraîtront ainsi dans les pages des magazines *Perspectives* et *Perspectives-dimanche.* En 1971-72, il signe la critique dramatique au quotidien *Le Devoir* et travaille brièvement au *Jour* en 1974. En 1975, il participe à la fondation de la revue *Jeu.* De 1975 à 1978, la Société Radio-Canada diffuse une quinzaine de ses pièces radiophoniques et sa seule pièce de théâtre est créée au Quat' Sous le 29 janvier 1976 par le Théâtre de la Manufacture. De 1977 à 1979, il traduit trois pièces pour la Compagnie Jean Duceppe. Ses comptes-rendus de lecture paraissent régulièrement dans *Livre d'ici* depuis 1976 ainsi que dans *Nuit blanche* depuis 1980. De 1981 à 1984, il a fait partie du collectif de rédaction de la revue *Estuaire.* Depuis 1977, il travaille principalement comme traducteur.

Ses poèmes ont paru dans de nombreux périodiques tant au Québec qu'à l'étranger et ont été traduits en italien, en anglais, en roumain, en allemand et en espagnol.

*Variables* lui a valu le Prix de la revue Études françaises en 1973 ; *Desseins,* le premier Grand prix littéraire du Journal de Montréal en 1981 ; et *Visages,* le Prix du Gouverneur général en 1982.

Cet ouvrage, réalisé d'après la conception graphique de René Bonenfant, a été composé en Souvenir corps 12 par Jacques Filiatrault Inc. et achevé d'imprimer par les presses Élites, le dix-neuvième jour d'octobre mil neuf cent quatre-vingt-quatre, pour le compte des Éditions du Noroît de Saint-Lambert. L'édition originale comprend 1,000 exemplaires, dont cent exemplaires numérotés à la main, signés par l'auteur et réservés aux Amis du Noroît.